© Édition du Club Québec Loisirs Inc., 1996
Avec l'autorisation des Éditions JCL Inc.
© Éditions JCL Inc., 1995

Dépôt légal, Bibliothèque nationale du Québec, 1996

ISBN Q.L. 2-89430-193-6
ISBN JCL 2-89431-131-1

La Sève

ISABELLE GENTÈS

La Sève

À Marc et Mathieu,
cueilleurs de sève
et d'autres bonheurs.

À Carole,
pour sa sensibilité.

La poupée gisait sur le lit, démembrée. Andrée fixait le mur et, recroquevillée dans un coin de la chambre, le regard vide, elle goûtait l'épuisement qui peu à peu lui rendait son corps. Son esprit avait quant à lui peine à se rendre compte de cette simple évidence: la présence d'un mur bleu dressé devant elle. Bleu et insignifiant.

Si quelqu'un était entré dans la pièce à ce moment-là, il aurait crié à l'agression tant des traces de violence y subsistaient encore. Le lit ressemblait à un champ de bataille. Le corps d'une grande poupée, sans tête ni bras, jurait comme du sang sur la neige, couvert d'une robe de velours rouge grenat, dans le désordre des draps blancs. La lampe renversée près de l'une des tables de nuit avait tenu bon et elle éclairait à l'envers, du bas du mur jusqu'au plafond, qu'elle éclaboussait. Çà et là, des vêtements traînaient, tombés au sol ou jetés sur les commodes. Dans l'avancée de la fenêtre, une antique écritoire de bois sombre témoignait d'un raisonnable «possible» et c'était peut-être la seule chose qui eût échappé à la tourmente. Des photos alignées sur le meuble immortalisaient des gens heureux. Quelques livres s'appuyaient sur un vase massif de verre ciselé rempli à ras bords de «cocottes» de pin, et un restant de café crème séchait dans une tasse ébréchée par l'usure des matins, sans doute. Et puis, il y avait ce froid, aussi humide et opaque que le vent de mars qui remontait le champ derrière la maison.

C'est l'image de la mort qui réveilla Andrée. Écrasée derrière la porte près d'un des coins de la chambre, elle émergeait d'un sommeil lourd. La réalité, par vagues ondoyantes, mouillait la rive de sa conscience. Elle résistait, s'accrochait au sable sec du néant avec le pressentiment confus qu'au réveil elle se noierait dans le désespoir. Complice du jour qui se levait aux fenêtres, son corps s'éveillait à la douleur grandissante des courbatures. Ses jambes, repliées sous elle, ne semblaient pas répondre à l'ordre de s'étirer et l'engourdissement la faisait souffrir aussitôt qu'elle tentait un mouvement. Avec d'infinies précautions, elle rejeta les bras de côté et repoussa l'édredon sous lequel elle était blottie. Elle inspira profondément, puis une autre fois, et une autre encore, jusqu'à ce qu'elle ait assez de courage pour relever la tête et envisager la mort prochaine de son amant.

Andrée Guilbert venait d'avoir trente ans et, toute sa jeune vie, elle avait cru à la chance. Fille d'enseignants, elle avait eu une enfance heureuse et banale et si, à quatorze ans, son corps avait oublié de grandir, la beauté de son visage, elle, n'avait jamais cessé d'adoucir son miroir. Selon que la lumière inondait ou suintait à contre-jour, ses longs cheveux hésitaient entre le blond et le roux; c'était ce qu'il y avait de plus remarquable chez elle. Habituellement, elle les coiffait en une toque lâche, laissant bouffer sa tignasse raide et épaisse comme un bouquet fauve préparé par l'automne. Son visage clair semblait ainsi encore plus fin. Le nez se perdait dans la poussière des taches de rousseur. De sa bouche plutôt petite, on remarquait la lèvre inférieure prononcée et dont l'expression sensuelle pouvait, sans crier gare, se transformer en une moue enfantine. De longs cils abritaient le vert de ses yeux: Gabriel disait d'eux qu'ils avaient la couleur d'un champ de foin après la pluie.

«Gabriel». Le nom fit son chemin en elle, labourant tout au passage. Elle se replia sur elle-même, serrant très fort ses genoux sur sa poitrine. Elle aurait voulu disparaître, ne plus voir le jour qui se frayait mille sentiers entre les mailles des rideaux de dentelle; ne plus sentir la douleur qui fouillait son corps comme un violeur. Cette douleur, elle en redevenait l'esclave, le pantin. Des mains invisibles, tirant les ficelles de sa folie, l'avaient conduite là, aveugle de révolte, au bout d'elle-même. Elle revoyait la nuit, cette violence étrangère, le délire de cette bête blessée avec qui, désormais, elle devait vivre.

Il fallait qu'elle se lève, qu'elle ferme cette fenêtre ouverte sur la saison encore vaillante. Il fallait qu'elle sorte de ce trou, de cette chambre, et se retrouve dans le miroir des grandes fenêtres de la cuisine, dans les gestes quotidiens. Son pied toucha quelque chose, elle écarta les jambes. Sur le plancher, au milieu de son refuge, la photo de Gabriel la regardait. Elle eut peur, peur de la folie qu'elle sentait si proche encore, prête à réveiller en elle la bête qui s'assoupissait à peine, avec tout ce goût de sang dans la bouche, toute cette mort couchée dans le creux de son flanc. Pour la conjurer, Andrée ferma les yeux et, nerveusement, se mit debout. La tête lui tournait, les muscles de son corps, meurtris, quémandaient qu'elle s'écrase de nouveau. Courageusement, elle rouvrit les yeux et se força à regarder par terre. Gabriel était là, entre ses jambes, figé dans un mensonge d'éternité. C'est à ce moment précis qu'elle entendit au loin la voix d'Esther appeler Muscade, son épagneul mâle. Andrée s'accrocha à ce filet de voix, fit quelques pas en direction de l'alcôve et se retrouva face à la fenêtre, fouettée par l'air vif. Le chien courait dans le champ voisin en longeant la clôture. Elle le perdit bientôt de vue mais l'entendit aboyer gaiement, comme il le faisait toujours pour répondre à sa maîtresse. Le vent fonçait sur elle et mordait sa chair nue. Elle frissonna longuement et se décida enfin à prendre la robe de chambre de Gabriel qui traînait à ses pieds. En l'enfilant, elle fut surprise de reconnaître l'odeur de l'homme qui, telle une deuxième peau, nichait dans le tissu laineux. La photo lui revint à l'esprit: il ne fallait pas qu'elle la laisse là. Et toute cette démence dans la chambre: elle devait l'effacer, tout de suite, sachant bien que si elle quittait cette pièce en y laissant les traces de sa folle nuit, elle n'aurait pas le courage d'y remonter et d'affronter les souvenirs hallucinants qu'un tel désordre ne manquerait pas de lui rappeler. Fébrilement, elle se mit à la tâche, soumettant son esprit aux paroles et à la musique d'une chanson à la mode. Elle n'en savait pas tous les mots mais c'était sans importance; lorsqu'elle sentait ses idées noires refaire surface, elle chantait plus fort, à tue-tête s'il le fallait, jusqu'à ce que sa pensée glisse sur les paroles vides. Elle mit près d'une heure à faire en sorte que la chambre retrouve son atmosphère de quiète intimité. Avant de descendre, elle prit sa poupée déchirée, en ramassa les membres arrachés et les plaça dans une boîte qu'elle rangea dans le placard. Puis, allant chercher la photo restée derrière la porte, elle la remit à sa place sur l'écritoire. Gabriel lui souriait, sa hache sur l'épaule. Andrée ferma les yeux et appela les souvenirs de la forêt. Gabriel marchait vers elle, le pas lent, et du contentement plein les bras; il laissait sa hache contre un arbre et s'approchait d'elle pour déposer sur ses lèvres un bonheur parfumé d'écorce et de sueur.

Andrée ouvrit les yeux et laissa errer son regard sur la torpeur du champ enneigé. Avec le visage de Gabriel penché sur elle, avec, sur sa peau, les traces de leur appartenance, elle pouvait encore saisir le temps, le bercer et en apaiser la tourmente.

Esther Blanchet savait sa voisine seule pour trois jours. La veille, un ami était venu chercher Gabriel; ils étaient partis pour Montréal, où ils devaient passer la fin de semaine. Avant son départ, Gabriel était venu voir Esther et lui avait demandé de veiller sur Andrée. Quand onze heures sonnèrent au grand coucou du salon, elle s'habilla et sortit avec ses deux chiens. C'était une journée magnifique. De chaque côté du chemin, la neige des champs foisonnait dans la lumière insoutenable du soleil. Des corneilles avaient investi les grands ormes dressés en sentinelles aux abords de la maison. Canelle, son épagneul femelle, s'ébattait en compagnie de Muscade dans le soleil. Celui-ci, plus foncé que sa compagne, était également plus massif et plus trapu; ses larges pattes palmées parlaient d'elles-mêmes de chasses prometteuses. Canelle, robe blonde et corps musclé nerveux, alliait le port altier de sa race à un regard triste-doux, presque humain. C'était un ravissement de les voir plonger dans le fossé, sauter gaiement l'un sur l'autre puis revenir à la course près d'Esther, tout à l'euphorie de cette sortie avec elle.

Les deux maisons étaient séparées par un arpent et demi de champ et, passé la ferme de Gabriel et d'Andrée, le rang se rétrécissait pour mourir aux fondations du pont qui, jadis, enjambait la rivière Macartouche. Il ne restait de ce passage qu'un muret de ciment rongé par la végétation désormais maîtresse des lieux. Avant la construction du nouveau pont, près du village, Esther avait pêché souvent dans cette rivière avec ses frères et sœurs. L'un après l'autre, ils s'étaient mariés et avaient quitté le rang; Esther, elle, n'était jamais partie. Elle avait bien eu quelques soupirants qui – c'était la coutume – avaient accroché leur fanal et bavardé gaiement les beaux soirs d'été sur la galerie du père Blanchet. Mais aucun de ces hommes n'avait su la séduire et la solitude était venue la marier au quotidien, sans tambour ni robe blanche. Il est vrai que sa jeunesse lui avait laissé peu de temps pour l'amour. Sa mère était morte en accouchant d'un neuvième enfant. Esther, fille aînée de la famille, avait alors juste l'âge qu'il faut pour hériter du courage des pauvres: treize ans...

En peu de temps, et comme le lui disait si gentiment le curé, elle était devenue la digne fille de sa mère, accrochant autour de sa taille le lourd tablier maternel avec le même entêtement, la même résignation tranquille qui avait caractérisé celle qu'elle avait vue mourir à l'usure de la vie donnée. Entre deux besognes, d'une aube à l'autre, son corps s'était transformé en celui d'une femme. Elle était ainsi demeurée de celles qui épousent la maternité sans en connaître les prémices ébauchées dans le secret des nuits. Il y avait le petit dernier, qui lui poussait dans le cœur comme un aulne dans la terre riche des pluies retenues, il y avait le reste de la marmaille qui grandissait, chacun son rêve à fabriquer, à poursuivre. Son père continuait sa vie à l'étable et aux champs. Bêtes et saisons scellaient le pacte de solitude que la douleur avait écrit sur sa conscience. Au silence des lendemains, sans celle qu'il continuait d'aimer, il s'accusait de l'avoir menée à la mort et s'était juré d'expier ce crime le reste de sa vie. Peu à peu les enfants avaient quitté le nid, jusqu'au dernier qu'Esther avait regardé partir avec autant de fierté que de désespoir. Elle était restée pour son père, plus malade de tristesse que d'âge. Bientôt, il s'était départi de la terre et du troupeau de vaches et il avait occupé son désœuvrement à démonter et remonter des horloges, des moteurs, tout ce qui allait choir dans le garage où il passait le plus clair de son temps.

Un soir, après quarante-neuf ans de veuvage et de réclusion volontaire, Esther l'avait trouvé effondré dans sa berceuse. Il s'était éteint peu de temps après. D'un commun accord, les enfants avaient décidé de léguer la maison familiale à Esther, leur mère d'adoption. Ces événements avaient coïncidé avec l'arrivée d'Andrée et de Gabriel dans le rang. Bien vite, ils s'étaient liés d'amitié. Le jeune couple respirait l'amour et la joie de vivre. Gabriel, dont le père exploitait un moulin à scie au village, possédait, malgré son jeune âge, plusieurs terres à bois où il faisait travailler une demi-douzaine de bûcherons. Andrée, en transformant une partie de l'étable désaffectée en porcherie, n'avait pas tardé à faire mentir les mauvaises langues qui disaient que les filles de la ville avaient peur de se salir et étaient trop précieuses pour les travaux de la ferme.

Depuis six ans maintenant qu'ils habitaient au bout du rang, Esther s'étonnait de les voir encore traverser la vie avec la légèreté des amants en lune de miel. Le jeune couple avait pour elle une amitié particulière, toute de tendresse et de curiosité. Et ne représentaient-ils pas à ses yeux l'amour pur et fou de cette jeunesse dont elle n'avait pas connu les privilèges? Esther les regardait vivre et, à l'ombre de leur bonheur, s'enivrait de cette passion exhalant les parfums de l'abandon.

Dans la cour de ses voisins, Esther rappela les chiens qui se dirigeaient vers la rivière. Ils accoururent, côte à côte et en jappant des facéties au vent. Une fois à ses pieds, elle les fit asseoir et se pencha pour les caresser. Elle leur parla doucement pour se donner de la force, sentir l'énergie des bêtes et chasser le sentiment de n'être pas assez solide pour voir souffrir sa jeune amie.

En pénétrant dans la maison par la porte arrière, l'éclat de la lumière surprenait: elle semblait venir de partout. Bien que basse, la cuisine respirait l'espace. Les grandes fenêtres dénuées de rideaux invitaient ombre et soleil emmêlés dans les arbres. Les plantes en pot alignées sur les rebords verdissaient dans l'écrin du jour. Au centre de la pièce, une grande table de bois témoignait des générations passées et courageusement nombreuses. Posée au milieu, une violette africaine redéfinissait les nuances mauves dans la richesse du velours. La pièce avait été réaménagée, mais l'essentiel gardait ce cachet des vieilles demeures centenaires où la vie se déroulait à la cuisine: un plancher de bois noueux et foncé, un poêle à bois imposant adossé au mur de la cloison et deux berceuses près d'une fenêtre, à demi tournées sur le monde.

Comme à son habitude, Esther avait frappé et était entrée sans attendre de réponse. Un disque de Félix Leclerc tournait au salon adjacent à la cuisine; la voix du poète en parvenait, accompagnée par la guitare, et se perdait quelque part sur le chemin des murs épais. La cafetière relançait sur le poêle, et les crépitements qui se bousculaient dans l'air jacassaient de l'attisée toute récente.

«Il est mûr», se dit-elle. Esther faisait le café au parfum et, à ce moment précis, elle savait qu'il était prêt. Le secret, qu'elle avait révélé à Andrée, résidait dans un détail: retirer le café de la plaque à l'instant même où il remplissait l'air d'un arôme bien rond et senti, mais volatile aussi, comme une odeur oubliée, parfum qui prend des années à forger un souvenir bouleversant. Tout au bonheur de ce geste simple et de l'à-propos de son arrivée dans la maison, Esther retira la cafetière du feu et s'affaira à préparer les tasses, le sucre et la crème sur un plateau. Le bruit de la douche venait de s'arrêter. Elle s'assit et attendit qu'Andrée sorte de la salle de bains.

— Tante Esther! Je ne t'ai pas entendue arriver. T'es là depuis longtemps?

— Non non, ça fait deux minutes, mais je suis arrivée juste à temps pour cueillir le parfum du café.

«Qu'elle est petite!» pensa Esther. Enroulée dans la robe de chambre de Gabriel, Andrée semblait encore plus menue. Et ses yeux... Ils étaient tout bouffis, elle avait sûrement pleuré beaucoup. Andrée s'installa à la table et retira la serviette qui lui enserrait la tête comme un turban. Ses longs cheveux jaillirent; mouillés, ils étaient plus sombres et tombaient lourdement sur ses épaules.

— Donne-moi cette serviette, je vais les sécher un peu.

Avec beaucoup de douceur, Esther se mit à frictionner la chevelure d'Andrée. Ce geste la ramenait des années en arrière, à une époque où toute une bande d'enfants tournaient autour de ses jupes et l'appelaient maman. Elle sentait Andrée s'abandonner aux mouvements lents et répétés de la serviette sur sa tête. Après un long moment, Esther alla poser la serviette, revint derrière Andrée et plongea les doigts dans la chevelure pour la démêler. Le silence lui murmurait les bonheurs des souvenirs anciens.

Puis elle lui demanda si elle avait bien dormi, lui dit qu'elle était inquiète de la savoir toute seule. Andrée ne répondit pas. Esther contourna la table et vint s'asseoir devant elle. La petite avait dans les yeux un égarement qui lui rappelait le désespoir pathétique de Canelle lorsqu'elle avait donné naissance à toute une portée de chiots mort-nés.

— Tante Esther, ça fait si mal...

Esther s'entendit lui dire «Je sais, je sais», mais comme cela était faux! À s'écouter parler, à voir le regard blessé d'Andrée, elle s'en rendait compte tout à coup. À soixante-neuf ans, elle était une belle dame âgée, sans plus. De l'amour, de l'amour d'une femme pour un homme, elle ne connaissait que le rêve des autres. Esther prit une grande respiration et pensa qu'elle devait parler comme la voix qui bâtissait de beaux songes en elle.

— Et si l'amour était plus fort que tout, plus fort que la course aveugle du destin? Je n'ai pas vu souvent deux êtres s'aimer comme vous le faites; ne crois-tu pas que tout est possible quand on a cette richesse?

Plus que des larmes, comme un cri longtemps retenu, la peine d'Andrée remplit l'air. La lumière du midi jouait impassible sur sa tête, qu'elle avait blottie au creux de ses bras. Comme si elle était secouée par des nausées, Andrée hoquetait et sa bouche touchait la table lorsque les sanglots partaient de sa poitrine et venaient frapper le fond de la gorge avant d'éclater dans sa tête.

La plainte avait traversé les aines d'Esther. Dans son corps, c'est à cet endroit que battaient sa sensibilité et l'intensité des choses. Doucement, elle s'approcha d'Andrée et s'accroupit près d'elle. Avec sa tendresse maladroite, l'impuissance au creux de la main, elle caressa ces cheveux que tant de mal secouait. Elle répétait: «Je suis là, je suis là!», mais dans sa tête un ange et le diable se disputaient sa conscience, et elle ne trouvait à leur dire que cette litanie facile: «Ne maudis pas ton Dieu, Ses voies sont impénétrables, cruellement impénétrables.»

Le café, laissé à lui-même, avait refroidi. Félix réécrivait les grandeurs de son pays au silence du salon. Jamais, depuis qu'elle savait Gabriel condamné à mort, Andrée n'avait pleuré ainsi. Il avait fallu qu'elle se retrouve seule, seule avec cette évidence qui l'avait assaillie et avec laquelle elle s'était battue dans le délire de la nuit.

— Quand les médecins ont dit que Gabriel avait ce cancer, quelque part dans ma tête j'ai nié. Ça ne pouvait pas être vrai, ça ne pouvait pas nous arriver, pas à nous. Je ne sais pas à quel moment j'ai vraiment réalisé qu'il allait mourir, que dans six mois, un an peut-être, je le perdrais. Aujourd'hui, tante Esther, je le sens, je vis cette mort d'avance. Pourquoi lui? Pourquoi?

Elle s'était remise à pleurer, doucement. Son regard vide glissait sur les meubles. Esther réchauffa le café et vint lui en mettre une tasse fumante entre les mains.

— As-tu déjeuné ce matin?

Andrée hocha la tête pour dire non.

— Il faut déjeuner. Je vais te faire quelque chose. Et puis, tiens, je pense que je vais manger avec toi.

Tout en s'affairant à préparer des œufs et des rô-
ties, Esther ne cessait de lui parler.

— Il faut que tu cesses de penser à ce qui va arriver.
Essaie de prendre la vie au jour le jour, un matin après
l'autre. Vivre le présent, comme avant, pour ce qu'il est
et avec confiance. Tu sais, la confiance, ça peut faire de
grandes choses... Il faut croire aux miracles, faut y
croire de toutes tes forces.

Esther avait passé la plus grande partie de son existence avec un homme brisé par le deuil. Toutes ces
années à côtoyer un père affligé d'une peine immuable
lui avaient laissé l'impression que ce dernier avait gâ-
ché le reste de sa vie par lâcheté. Elle regrettait aujourd'hui de ne pas lui en avoir parlé, de ne pas avoir
secoué ce grand corps maigre et inanimé pour lui faire
réaliser combien sa fuite dans la tristesse le détruisait et
rendait l'air de la maison lourd et désespérant. Elle
sentait, comme s'il était là, le courant froid du silence
qui le précédait quand il rentrait de l'étable. Les enfants quittaient la cuisine comme des petits chiens bat-
tus, gênés de leur insouciance. Telle une cuirasse, un
vin d'habitude, il brandissait sa solitude à bout de bras
jusqu'à ne plus voir les êtres qui l'entouraient. Il y avait
eu un temps où Esther souffrait de ce désintéresse-
ment, autant pour elle que pour les enfants qui, fragiles
d'un deuil tout proche, perdaient leur père dans
l'éloignement sensible des jours. Puis, peu à peu, elle
en était venue à éprouver une pitié tranquille pour cet
homme, comme on s'habitue à l'infirmité d'un proche.

Elle aurait voulu dire tout cela à Andrée, mais elle
voyait la petite se débattre dans la tourmente de sa fin
du monde. Quelque part, entre les yeux doux de la
Vierge Marie et la beauté douloureuse de son Fils,

Esther sentait bien maintenant une faille, mince fêlure sur la pierre angulaire de sa foi. Cette brèche, ouverte dès l'enfance par la mort de sa mère, elle l'avait nourrie, au fil du temps, de prières quotidiennes, de messes et de recueillement sincère. Mais elle se creusait de nouveau, faisant ressurgir, en s'écartelant, le fiel d'un ressentiment insoumis, semant le désordre, le doute en ce lieu pur et sacré au milieu de son âme.

Esther déposa les assiettes et s'installa en face d'Andrée qui avait cessé de pleurer et goûtait son café à petites gorgées, comme quelqu'un sauvé de la noyade qui réapprend à boire.

— Mange donc, ça va être froid. Qu'est-ce que tu as l'intention de faire aujourd'hui?

Andrée répondit qu'elle avait soigné les cochons plus tôt dans l'avant-midi puis, avec une petite lueur de vie dans les yeux, parla des chevaux qu'elle avait envie de faire sortir pour qu'ils courent à leur aise.

Un poids immense s'envola des épaules de la vieille femme. Elle se mit à boire sans retenue l'apaisement d'Andrée et ne pensa plus à rien. Le silence retomba. Soutenu par le soleil qui s'amusait à dessiner de grandes taches de lumière dans la cuisine, il était presque sans lourdeur. Andrée picorait dans son assiette et, bientôt, elle se mit à jouer avec ses œufs, les tripotant du bout de la fourchette pour en faire un petit tas au milieu. Repoussant son plat, elle posa les mains sur la table et regarda Esther droit dans les yeux.

— Tante Esther, je sais que Gabriel t'a demandé de veiller sur moi et je veux que tu saches que je te suis bien reconnaissante pour tout ce que tu fais. Mais je voudrais te dire que si tu m'entends hurler, si je ne réponds pas au téléphone ou si tu me vois «prendre le bois» en courant, ne t'inquiète pas, d'accord? Ces trois jours qui viennent, je veux les vivre sans résister. Quand Gabriel reviendra, j'aurai touché le fond, j'en suis sûre. Il aura besoin de moi et j'aurai accepté ce qui nous arrive. Tu me comprends, n'est-ce pas?

Le haut du corps bien droit, une détermination farouche dans les yeux, Andrée scrutait le regard de la vieille femme. Esther baissa la tête et déposa ses mains sur celles de sa jeune amie.

— C'est vrai? Je peux repartir tranquille? Tu ne feras pas de folie?

Il avait oublié de fermer les rideaux et la lumière l'empêchait de se rendormir. Dans le lit voisin, Pierre ronflait, couché sur le dos. Gabriel, nu sous les couvertures, ne se rappelait pas s'être dévêtu. Ç'a avait été toute une virée. Première escale: une taverne où l'on diffusait sur écran géant des combats de boxe et des parties de hockey; un endroit sans fenêtre, sans silence, une forteresse où le temps s'étourdit à boire jusqu'a plus soif, à rire gras et à jurer. Un château fort à l'abri des réalités, où l'on s'engouffre à bout de souffle en grimpant quatre à quatre les marches d'une tourelle et où l'on crache sur les misères d'hier et sur celles qui attendent les chevaliers sans armure, le poing tendu vers le ciel.

Vers huit heures, ils étaient allés souper dans un restaurant de fruits de mer et avaient avalé quelques douzaines d'huîtres fraîches en se remémorant ce vieux rêve de jeunesse qui devait les conduire au grand fleuve en dérivant sur la rivière Macartouche, valeureux capitaines d'un radeau qu'ils avaient mille fois dessiné sur les pages secrètes de la grève. Le repas et les bons souvenirs leur avaient fait du bien. Débordant d'énergie et heureux d'un rien, ils avaient décidé de poursuivre la fête en faisant la tournée des bars du centre-ville. C'est dans l'un d'eux que Gabriel était tombé sur Christiane, une amie d'enfance, une petite fille de Saint-Christophe qui, à l'aube de ses quinze ans, désertait le foyer familial pour aller rejoindre un caïd de Montréal qui, disait-on, l'obligeait à se prostituer pour gagner sa drogue, son paradis.

Coincé entre une boutique de jeans et un stand à hot dog, l'Exotik Bar criait ses plaisirs de ses néons qui scintillaient autour de grandes affiches de femmes nues. Dans cette partie de la rue Sainte-Catherine, la nuit faisait dos à l'horizon, pleine de lumières insolentes, de musique et d'odeurs galvanisées, comme un village embrasé un soir de kermesse.

Un peu ivres tous les deux, ils avaient grimpé tant bien que mal un petit escalier raide et encombré de gens pour pénétrer dans cet antre de volupté. On leur avait assigné une table adossée à un mur et offrant, à ce qu'on leur avait dit, une vue du tonnerre sur la scène. Un généreux pourboire leur permit de faire cesser la musique disco quelques minutes plus tard, au profit d'un air langoureux et des couleurs du rouge et de l'ambre, qui inondèrent la scène. Une danseuse entra, portant un seau à glace au milieu duquel se trouvait une bouteille de ce qui devait être du champagne. Hormis un cache-sexe et des souliers à talons aiguilles, elle était nue, et Gabriel ne put s'empêcher de sourire à la voir ainsi traverser la scène à petits pas pressés avec son seau, comme s'il s'agissait d'un objet précieux qu'elle allait rendre à une voisine. Au centre de la scène il y avait un petit promontoire recouvert d'une peau de mouton. Toujours sans se soucier de l'assistance, elle y avait déposé le seau à glace et s'était mise à tapoter la fourrure complice. De la main, elle la lissait, tirait sur les coins. Tout cela lui prit un certain temps. De plus en plus amusé, Gabriel la regardait s'exécuter; elle était si absorbée par sa tâche qu'elle semblait seule au monde.

Elle se tourna enfin vers le public pour lui offrir son corps doré par les feux de la rampe. La tête renversée en arrière, elle projeta le bassin vers l'avant et ondula des hanches au gré de la musique.

Alors qu'elle se laissait tomber sur la toison longuement caressée, un éclair avait traversé l'esprit de Gabriel: cette fille qui se tordait de plaisir devant lui, cette fille au corps de femme-enfant ressemblait étrangement à la belle et sauvage Christiane du village de Saint-Christophe, où on ne la cherchait plus depuis longtemps. Plus Gabriel la scrutait, plus il était convaincu qu'il avait devant les yeux le fantôme de sa jeunesse. Elle avait beau être excessivement maquillée, ces yeux légèrement en amande, trop sombres pour appeler le soleil, ces pommettes saillantes, cette bouche grande comme un sourire calomnieux, et puis cette chevelure raide couleur d'une nuit de pluie lui disaient que ça ne pouvait être qu'elle. Revenu de sa surprise, il avait jeté un regard à Pierre et n'avait rien discerné d'anormal sur le visage de son ami qui, les yeux mi-clos, semblait flotter quelque part dans le prolongement sensuel des gestes de la danseuse. Le spectacle tirait à sa fin quand un grand murmure avait parcouru l'assistance. Christiane venait de renverser le seau sur la scène et elle avançait à quatre pattes en se déhanchant comme une panthère envoûtée. D'une main, elle avait ramassé quelques glaçons et, toisant sans vergogne les hommes assis près de la scène, elle s'était mise à se caresser. Bientôt, sa main était descendue jusqu'au pubis et, rejetant la tête en arrière, elle avait laissé échapper une longue plainte rauque lorsque la glace était entrée en contact avec son sexe. La finale avait amené une nausée aux lèvres de Gabriel. De toute sa vie il n'avait imaginé pareil avilissement: Christiane, toujours à quatre pattes, s'était avancée jusqu'au bord de la scène et avait tendu sa main ouverte. D'un bond, un petit homme chauve s'était élancé pour saisir son offrande et porter à sa bouche le morceau de glace souillé de plaisir. Gabriel avait serré les dents, de pitié et de honte.

Le spectacle terminé, Christiane était revenue dans la salle et, comme toutes les autres filles qui travaillaient ce soir-là, elle offrait des petites danses «personnelles» moyennant quelques dollars. Elle avait frôlé leur table alors que Gabriel y était seul, Pierre s'étant éclipsé pour aller aux toilettes.

— Christiane...

C'est à peine s'il avait murmuré son nom, ne sachant s'il voulait ou non qu'elle s'arrête. Christiane avait fait quelques pas encore puis, brusquement, s'était retournée pour le dévisager longuement. D'un ton dur, elle lui avait lancé:

— Je t'avais reconnu, Gabriel Blanchet.

Les instants qui avaient suivi, Gabriel se demandait encore s'il ne les avait pas rêvés. Elle s'était approchée de lui et, d'un geste vif, avait plaqué ses mains sur chacune de ses aines en se penchant jusqu'à lui effleurer le visage. Il ne pouvait plus bouger, les doigts de Christiane s'amusant à lui caresser l'intérieur des cuisses. Il n'avait pour tout horizon que ses yeux d'Indienne, sombres et aux pupilles étrangement dilatées.

— J'te fais une p'tite danse, Gabriel? Une p'tite danse pour toi tout seul...

En parlant, Christiane avait écarté les jambes pour le chevaucher; elle se tenait tout près de lui, les mains accrochées à ses épaules, ses petits seins pointus à quelques pouces du visage de Gabriel. Il avait levé les yeux vers elle, désemparé et penaud, ne sachant que faire de ses bras qui pendaient bêtement le long des accoudoirs de la chaise. Elle le regardait fixement et une grande mèche noire échappée de sa queue de cheval lui barrait le visage. Sans trop savoir pourquoi, Gabriel avait tendu la main pour la replacer derrière son oreille, puis il avait laissé descendre ses doigts jusqu'à son cou frêle. Que faisaient-ils dans ce trou, dans cette obscurité artificielle et lourde, pastiche de nuits d'Orient, aux parfums de femme trop forts, gorgés de sueur, de relents d'alcool et d'urine rasant les murs? Et ces lumières trop jaunes sur des corps habillés de pauvres bijoux. Où était le soleil de Saint-Christophe? Les grands vents frais venus des champs profonds? Où étaient l'espace et la lumière de leur pays, la douce lumière de ce nid où ils s'étaient choisi une race et avaient appris à voler? Gabriel sentait le goût amer des désillusions monter à sa bouche. Cette femme assise sur ses genoux, penchée sur lui avec ses yeux éteints et son grand front luisant de sueur, cette femme avait le poids du destin, le scintillement fallacieux d'une étoile morte, à mille années-lumière du regard qui s'y accrochait désespérément. «Ainsi va la vie», pensa Gabriel, un habit d'apparat trop grand pour les enfants nés rois et que le temps, tôt au tard, bouscule dans les ghettos du destin.

Christiane avait saisi son poignet et dirigeait la main de Gabriel entre ses seins. Il lui semblait qu'il se réveillait d'un long cauchemar, la bouche pâteuse, la tête lourde de rêves qui martèlent le crâne et veulent survivre. Christiane pressait la main du jeune homme sur sa poitrine moite, le regard vague.

— C'est pas ton corps que je veux, Christiane, je veux que tu me parles, je veux savoir ce que t'es devenue.

En fermant les yeux, elle avait appuyé son front sur celui de Gabriel. S'il avait avancé les lèvres, il aurait touché sa bouche.

— Tu veux savoir c'que j'suis devenue? Mon pauvre Gabriel, t'es toujours aussi naïf! Si ça peut t'éclairer, va falloir que tu me donnes un p'tit dix. Le patron a les yeux partout, pis c'que j'suis en train de faire, ça vaut dix piastres du cinq minutes.

Elle s'était relevée, replaçant son cache-sexe de ses mains expertes, balançant légèrement le bassin d'avant en arrière. La réalité, d'un bond, avait surgi entre eux, et Gabriel regrettait qu'elle fût là, aurait voulu qu'elle ne le reconnût pas. Il se sentait si loin d'elle, comme si leur enfance commune n'avait jamais existé.

— Si t'avais pas fait le sourd, Gabriel Blanchet, j'serais peut-être pas là aujourd'hui. Mais y'a longtemps de ça... On était jeunes. Pis toi tu savais pas encore c'que c'était l'amour. *Anyway*, j'ai suivi le premier qui s'est présenté pis ça s'adonne que c'était un ticket pour les nuits chaudes de l'Exotik Bar... N'empêche, pour toi, j'danserais les yeux ouverts...

Elle parlait sans le voir, le regard voilé et perdu sur le mur au-dessus de sa tête. Puis, avec un sourire miè-vre, elle posa de nouveau ses yeux sur lui.

— Sais-tu au moins c'que ça veut dire, danser les yeux ouverts, Gabriel? On sait ben, en campagne vous êtes pas assez déniaisés pour savoir ça! Ben j'te l'dis pas, t'auras qu'à chercher. Intelligent comme j'te connais, tu devrais y arriver. J'vais juste te don-ner un p'tit indice: pense à la danse comme à un saut dans le vide. Tu vas voir: les yeux ouverts, ça veut dire quelque chose. Astheure, faudrait ben que tu me payes.

Et elle avait tendu la main en faisant bouger ses

doigts, comme si elle avait assez perdu de temps. Gabriel lui tendit les dix dollars qu'elle attendait.

— Pourquoi t'es fâchée? Moi, j'ai été content de te revoir.

— Fâchée? Qui t'a dit que j'étais fâchée? Écoute, mon p'tit Gabriel, avait-elle dit en fourrant le billet dans son cache-sexe, y'a longtemps que j'ai enterré ma jeunesse. Tout ça, c'est mort pour moi. Mort et effacé. Même toi, j't'ai fait mourir... Alors tu vas m'excuser, mais j'ai du boulot. Tu vois tous ces hommes, là? Y m'attendent avec leur fric pis leur désir plein les culottes.

— Christiane...

— Non, tais-toi. J'ai plus l'âge de croire aux contes de fées pis au Prince charmant. Tu devrais finir ton verre, ramasser Pierre pis t'en retourner dans ta belle p'tite campagne. Y'a pas changé, celui-là, hein? avait-elle dit encore en désignant Pierre qui semblait être en grande négociation avec une autre danseuse près des toilettes des hommes, au fond du bar.

Elle avait pivoté sur ses talons avec grâce puis, au moment de partir, s'était ravisée et était venue poser de nouveau ses mains sur les cuisses de Gabriel.

— J'ai oublié de t'dire... C'est pas nécessaire de crier sur tous les toits du village que tu m'as vue. J'existe plus pour eux autres, pis Saint-Christophe existe plus pour moi. Ça donne rien de faire d'la peine aux âmes sensibles, hein? Tu comprends c'que j'veux dire?...

Elle avait plaqué sa bouche sur la sienne et il avait senti la langue de Christiane lui effleurer les lèvres. Puis elle avait tourné les talons pour de bon. Pierre était revenu s'asseoir, fier comme un chasseur qui rapporte un gibier de taille, un de ceux que l'on exhibe comme des trophées: une danseuse contorsionniste, dont il avait marchandé la prestation pour l'offrir à Gabriel, lui tenait le bras. La fille fit son numéro sur leur table, jambes par-dessus bord, offrant ses membres en gros plan avec des torsions telles que Gabriel en avait mal aux muscles, suant du début à la fin de la danse. Le numéro terminé, il avait bu son verre d'un trait et, encore chaviré par le spectacle de ce corps désarticulé, il avait entraîné Pierre dehors, à la recherche d'un peu d'air frais pour se ressaisir. Par la suite, ce dernier n'avait pas fait allusion à Christiane et Gabriel, de son côté, n'avait pas senti le besoin de lui en parler. Sa rencontre avec la jeune fille ressemblait à un mauvais rêve et, quand il y repensait, les questions se bousculaient dans sa tête: pourquoi s'était-elle enfuie de Saint-Christophe pour suivre un marchand de drogue et de rêve? Ça n'avait pas de sens! Le bonheur leur appartenait, ils en étaient les héritiers légitimes avec leur jeunesse, leur insouciance. Dans l'herbe tendre ou la neige folle de leur village, les saisons leur avaient bâti un château où l'innocence devait régner jusqu'à la fin des temps.

Au terme de cette nuit à l'Exotik Bar, ils avaient enfin regagné leur hôtel en taxi. Pierre était soûl comme un cochon et Gabriel, un peu moins ivre, avait toujours l'esprit obnubilé par Christiane qui, tel un fantôme trahissant leur passé, lui avait volé ce baiser, le laissant avec l'image d'une danseuse qui saute dans le vide, les yeux tout grands ouverts.

Il était midi. Dans le couloir, les femmes de ménage jacassaient en poussant leur chariot d'une chambre à l'autre.

Les vapeurs de l'alcool montaient lentement de l'estomac vide de Gabriel et la nausée faisait tanguer son lit.

Avec beaucoup de précautions, il réussit à s'asseoir sur le bord. L'envie de vomir lui montait à la bouche. Un grand miroir fixé sur la porte de la salle de bains lui retourna son image; il passa une main dans ses cheveux bouclés pour les replacer et son geste le fit frissonner. De se voir ainsi nu dans la glace le surprit. À la maison, il n'y avait pas ce genre de miroir qui vous regarde tout entier. L'image d'Andrée vint se planter entre lui et son double. Elle disait qu'il était comme un pays. Son pays. À deux mains, elle prenait son visage carré et osseux, le comparait aux terres du canton d'en haut. Puis ses doigts couraient sur ses épaules larges, glissaient jusqu'au ventre et dessinaient des cercles qui lui arrachaient des fous rires incontrôlables; c'était, disait-elle, la terre, la terre à semer, à labourer, à regarder respirer. Au bas-ventre, elle pénétrait dans la forêt, fouillait lentement, comme on y marche, les lieux habités et touffus.

Le souvenir d'Andrée penchée sur son corps lui donna une érection. Dans le miroir, il se voyait bander, assis au bord du lit, le dos un peu courbé, et ça le fit sourire; elle aurait aimé être là, il en était sûr, elle aurait aimé être là et le prendre, cueillir ce pays troublé par le désir.

Sous l'eau chaude, les nausées et les étourdissements le reprenant, il donna un demi-tour de plus au robinet d'eau froide et resta immobile sous la douche jusqu'à ce qu'il se sente mieux.

Pierre ronflait toujours. Sans bruit Gabriel s'habilla et sortit. La cour de l'hôtel était presque déserte. Il s'engagea sur le trottoir et se dirigea vers un restaurant qu'il avait remarqué, à quelques coins de rue plus loin. C'était un rendez-vous de camionneurs et les routiers attablés semblaient tous se connaître; l'endroit bourdonnait de conversations sur les moteurs, les bons ou les mauvais voyages et toutes ces nuits qu'on vole au sommeil sans jamais les lui rendre. Gabriel s'installa au comptoir et commanda à déjeuner. La ville, pour lui, avait toujours été mystérieuse et, chaque fois qu'il y venait, il s'étonnait du comportement de ses habitants. L'indifférence et la peur le frappaient surtout. Les gens d'ici étaient presque toujours en mouvement, courant après tout: le métro, le travail, le retour à la maison. Et tout ce va-et-vient se faisait la tête droite, le regard vide et porté sur quelque chose d'invisible, quelque chose qu'on ne pouvait partager avec qui que ce soit. Il y avait leur peur aussi. Ils marchaient les fesses serrées, le sac à main ou le porte-documents collés au corps. Tout ce qui pouvait être verrouillé l'était à double tour et l'on allait son chemin, armé d'une indifférence blindée dans cette jungle où l'homme, à tout instant, était son propre prédateur.

La pause du dîner tirait à sa fin et le restaurant se vidait peu à peu. Dehors, le soleil apparaissait de temps à autre. À Montréal, l'hiver faisait déjà partie d'une saison passée et, entre les immeubles, sur les petits parterres, les bancs de neige sales n'avaient plus rien des nuages blancs tombés du ciel. Dans le rang et au village de Saint-Christophe, on prenait encore l'hiver au sérieux et tout y était d'une blancheur immaculée.

Pierre apparut dans la porte du restaurant. Il s'assit un banc à côté de Gabriel, qui riait en le regardant du coin de l'œil.

— Qu'est-ce qu'il y a de si drôle? dit-il en frottant ses joues râpeuses d'une barbe de deux jours.

— On dirait qu'un train t'est passé dans la face.

Pierre trouva la comparaison appropriée et se frotta les joues de plus belle.

— Tu dois avoir raison parce que je me sens exactement comme ces vieilles *cennes* noires qu'on mettait sur la *track* pour les voir s'aplatir au passage du train. Tu t'en rappelles?

Gabriel opina en hochant la tête avec un grand sourire. Bien sûr qu'il se souvenait de ces jeux d'enfants, des jeux si simples en fait, mais, parce qu'ils représentaient un peu de danger, tellement excitants.

— Toi, t'as pas trop l'air amoché. Pourtant, il me semble bien que t'as bu autant que moi. Faut croire que je ne porte plus l'alcool comme dans le temps. J'te mens pas, même les cheveux me font mal.

En disant cela, Pierre avait porté une main sur son crâne et le tâtait en grimaçant.

— Mange quelque chose, ça va te replacer, dit Gabriel. Après, on va récupérer l'auto au centre-ville.

Physiquement, Pierre était tout le contraire de

Gabriel. Le teint foncé, les cheveux raides et noirs comme du charbon, sa petite taille et son ossature fine lui conféraient un air d'éternel adolescent. Gabriel et lui avaient le même âge: trente-cinq ans. C'était deux enfants de Saint-Christophe et l'un et l'autre avaient pour souvenirs les mêmes jeux, les mêmes folies. En ce temps-là, le village grouillait d'enfants et chaque saison avait ses jeux. L'hiver, on s'adonnait au «hockey-bottines», du hockey sans patins, parce qu'à Saint-Christophe il n'y avait pas de patinoire. Quant aux rares enfants qui savaient patiner, ils y étaient parvenus au prix d'une persévérance héroïque, s'éreintant sur le cours d'eau des Lambert, un ruisseau en cascade qui se jette dans la rivière Macartouche et dont, plus souvent qu'autrement, la mince couche de glace ne tenait pas. La plupart du temps, on jouait au «hockey-bottines» chez Pierre, qui possédait deux buts, de vrais filets de hockey achetés par des parents qui avaient les moyens d'offrir à leur fils unique bien des choses qui faisaient l'envie du petit monde de Saint-Christophe. N'était-il pas le seul au village à posséder une télévision dans sa chambre? Et la motoneige la plus puissante, achetée toute neuve, il va de soi... et, bien entendu, la première moto à pétarader sur la rue principale ou dans le sentier longeant la voie ferrée. Pierre ne semblait manquer de rien: jamais de paires de bas ou de mitaines dépareillées, jamais une pièce faisant défaut sur ses bécanes: il lui suffisait de demander et l'on s'empressait de satisfaire ses désirs. Mais, comme il le disait à présent, ce qui lui avait manqué ne s'achetait pas: des frères et des sœurs, une maison pleine de jeux, de complicité et de petits drames, «une famille tricotée serré», comme il se plaisait à nommer celle de Pierre avec envie. Et parce qu'il était issu d'une maternité que l'on n'attendait plus, un enfant de la ménopause, il disait aussi: «Il y a deux possibilités dans mon cas: ou je suis le fruit d'un miracle, ou je suis une des plus grosses farces de la nature; si au moins j'étais né le jour de Noël, tout aurait été clair, mais non! Il a fallu que j'arrive avec deux jours de retard...» Cette ambiguïté l'avait suivi tout au long de sa jeunesse et il aurait donné tout ce qu'il possédait pour connaître le fond de la pensée de ses parents à son sujet: était-il un miracle de l'amour ou un mauvais tour joué par le destin et que l'on accepte parce qu'il n'existe d'autre choix que de se résigner? Il aurait aimé savoir, il aurait aimé trancher entre bénédiction et fatalité.

Lorsque le printemps bougeait dans le ciel, pressé de chauffer et d'arroser la terre, on rangeait les bâtons de hockey et les rondelles et on s'attaquait au football. C'était le temps des ecchymoses, des chevilles foulées et parfois aussi des os cassés. Puis, fin mai, le champ du père Hélie tournait au vert; le baseball devenait, avec quelques excursions mémorables à bicyclette, la passion de l'été. Un bonhomme étrange, le père Hélie: vieux grognon pour les uns, pépère attentionné pour cette meute de jeunes qui s'ébattaient dans le champ derrière sa maison et pour lesquels, une dizaine de fois durant l'été, il affilait sa vieille faux et matait le foin qui menaçait d'envahir le terrain. De sa chaise branlante à l'ombre de la grange, il surveillait le jeu en «gossant» des morceaux de bois. Parfois aussi, il sommeillait, le menton sur la poitrine et les yeux tranquilles, à l'ombre de ses gros sourcils épais. Quand le temps n'était pas trop chaud et que le vent portait la joie des enfants vers le bois, le père Hélie dormait si bien qu'il ne bronchait même pas aux cris accompagnant les rarissimes et glorieux coups de circuit.

Dans l'hésitation de l'automne, on jouait un peu à tout: au baseball, parfois aux billes et au moineau. Et on ressortait les équipements de hockey, un peu plus à l'étroit dans les chandails aux couleurs et numéro de l'idole qu'on voulait la meilleure, qu'on désirait réincarner chaque soir sous le réverbère. Grandir, aussi, faisait mal parfois... Luc fauché par un train, pleurant son premier amour sur la voie un jour de grand vent qui rendait sourd. Et Christiane, Christiane, que les mémoires gardaient comme une belle enfant disparue, morte un soir d'été trop long aux frontières du village.

L'adolescence, enivrante et sérieuse, prenait les enfants au beau milieu de leurs jeux. Des amours germaient sur les corps mutants qu'on abritait de rêves éveillés. L'avenir, enfin, cet espace inconnu hier et que l'on découvrait sur la table des adultes où, désormais, le pain avait un prix et parfois aussi le parfum du talent. Pierre, sitôt ses études secondaires terminées, était parti pour la ville, où il avait planté ses rêves de fortune. Il y avait rencontré Catherine, l'avait épousée et suivie à Québec. Il avait vingt ans. Elle, dix-huit à peine. Aujourd'hui, il était menuisier-chef d'une grande entreprise de la vieille capitale et père de deux enfants.

Pierre redemanda du café. La serveuse, une fille énorme à la poitrine non moins généreuse, remplit les tasses avec la vitesse d'un geste mille fois répété.

— Si Catherine me voyait, j'aurais droit à une engueulade de première classe. Elle déteste la boisson, et encore plus les «lendemains de la veille». Tu sais quoi, Gabriel? L'inconvénient, avec les femmes, c'est qu'elles sont trop sérieuses. Quand on s'amuse hors de la maison, elles prennent ça comme une trahison.

Pierre avait peut-être raison, en ce qui le concernait du moins. Catherine était du genre plutôt autoritaire, possessive même, et Andrée, qui ne l'aimait pas particulièrement, l'avait surnommée «Mon colonel». Elle régnait sur son homme et ses enfants comme un officier sur ses soldats, disait-elle. Gabriel cherchait «l'inconvénient avec les femmes» et le seul qui lui vint à l'esprit fut de ne pas avoir rencontré Andrée plus tôt.

— C'est drôle, il n'y a pas tellement longtemps j'aurais probablement dit comme toi: les gars d'un bord, les filles de l'autre et chacun chiale de son côté. Mais, vois-tu, je n'ai plus le goût de suivre la marche. Aujourd'hui je me fous de ce que le monde pense ou dit. Je me demande pourquoi je continuerais à râler sur les malheurs des hommes; je réalise que je n'ai pas de temps pour ce genre de chose.

Pierre en resta bouche bée. Le ton de Gabriel était sec et sans réplique. Il le prit comme un reproche et se sentit très mal à l'aise tout à coup.

— Écoute, Pierre, fais pas cet air-là. J'aime Andrée comme un fou. Depuis que je la connais, je flotte, j'ai jamais été aussi heureux. C'est juste que je n'ai plus l'envie ni le temps de dire le contraire, tu comprends?

Pierre fit signe de la tête qu'il comprenait tout en se traitant de pauvre crétin. Depuis leur départ de Saint-Christophe, c'était la première fois qu'ils abordaient, même à mots couverts, le sujet. Quand Gabriel l'avait appelé, la semaine auparavant, pour lui faire part de sa maladie, Pierre en avait eu le souffle coupé et il avait été incapable de répondre à l'autre bout du fil. Gabriel avait lancé l'idée de cette virée à Montréal et à Toronto; sans hésiter il avait dit oui et laissait se refermer cette porte ouverte sur un hiver qui menaçait d'engloutir sa plus belle amitié.

Son regard se porta sur Gabriel. «Je n'ai jamais été doué pour les mots», pensa-t-il. Il voyait son profil long, sa mâchoire serrée et les nœuds des muscles qui crispaient son visage. Que pouvait-il lui dire? Que dit-on à son meilleur ami perdu dans le brouhaha d'un restaurant plein d'hommes qui, comme lui, ne savent pas pleurer et ont oublié comment on tient la main de celui qui souffre. Il posa un bras sur l'épaule de Gabriel, tourna la tête vers la serveuse et, d'une voix chevrotante qu'il ne reconnut pas lui-même, il demanda l'addition.

La sonnerie du téléphone frappa à la porte de son rêve. Ce dernier n'avait pas encore complètement quitté ses pensées lorsqu'elle ouvrit les yeux et s'arracha du divan pour aller répondre. La voix de Gabriel traversa les dédales du brouillard, flotta un instant sur le voile du sommeil et la surprit, debout, l'appareil à la main.

— Gabriel?

La voix d'Andrée n'était pas normale, il le perçut tout de suite et s'en inquiéta. Andrée lui expliqua qu'elle s'était endormie sur le divan et que, dans sa précipitation, elle ne devait pas être encore tout à fait réveillée en décrochant le téléphone.

— Mais qu'est-ce que tu fais, couchée, avec ce beau soleil dehors? J'espère que tu n'as pas passé la nuit avec quelqu'un d'autre!

Son rire, sa voix chaude coulaient en elle comme le suc dans une plante. Les yeux fermés, elle vacilla sous la caresse.

— Où es-tu?
— Je suis toujours à Montréal. Je t'appelle de la chambre d'hôtel, j'en profite pendant que Pierre est sous la douche pour prendre de tes nouvelles. Tante Esther doit être passée te voir?

Andrée lui raconta qu'elles avaient déjeuné ensemble et elle mit dans sa voix toute la conviction dont elle était capable pour l'assurer que tout allait bien.

— Et, toi, comment ça va? Est-ce que tu t'amuses?

Il lui répondit «oui», mais il n'en était plus tellement sûr. Il se sentait si fatigué tout à coup et il se voyait couché près d'elle, avec leurs corps pour refuge, uniquement.

— On part pour Toronto demain, à la première heure. Je te rappellerai quand on y sera. Et puis, comment ça va à la porcherie? Les truies ne te donnent pas trop de «misère»?

Un léger filet de lassitude sur les mots, un soupir au bout des phrases avaient changé sa voix et Andrée, qui l'écoutait de tous ses yeux fermés, le sentait.

— Elles sont en pleine forme; les prochaines mises bas auront lieu dans une semaine seulement. Mais, dis-moi, tu ne m'appelles pas pour avoir des nouvelles de mes animaux! Quelque chose ne va pas, Gabriel?

— Non, ça va. Je suis juste un peu fatigué; on s'est couchés pas mal tard et je pense qu'on avait un bon coup dans le nez. En tout cas, Pierre était tellement soûl qu'à la fin de la soirée, il marchait à quatre pattes. C'est ma dernière brosse, Andrée, la dernière...

À mesure qu'il lui parlait, Gabriel sentait la force de se battre le quitter tout doucement; elle s'évanouissait dans les méandres de ses épaules qui se dénouaient. Tout bas, comme s'il se l'avouait à lui-même, il ajouta:

— Tu me manques, aussi...

Une foudroyante lame de chagrin s'abattit sur Andrée; elle en perdit le goût de respirer. Le désespoir la crucifiait dans le vide, et elle devenait ce vide.

Quand elle saisit le souffle de Gabriel pour s'y accrocher comme à une bouée, elle réalisa combien il lui restait de chemin à parcourir avant d'apprendre à souffrir sans laisser la mort entrer en elle. Mais le tourment de Gabriel venait jusqu'à elle et ils étaient là, chacun accroché au souffle de l'autre, à se rêver, à s'imaginer et à en pleurer.

— Veux-tu que je revienne tout de suite? Andrée, tu es là? Réponds-moi.

L'angoisse de Gabriel la secoua. Elle respira profondément et fut heureuse de sentir une grisaille calme chasser ses larmes.

— Non, écoute, tu as besoin de te changer les idées, et moi j'en profite pour me reposer, refaire mes forces. Ne t'inquiète pas pour moi. Dis-moi que tu t'amuses, au moins! Pierre, il est drôle comme un singe, d'habitude!

— Oui, tu as raison. Tiens, il sort justement de la douche, ton singe. À le voir tout nu comme ça, c'est évident, il descend du singe.

Voilà! Le monde retrouvait ses couleurs, le ciel, son bleu, et la passion, ses chambres sombres et closes. Gabriel promit de la rappeler bientôt. Ils se quittèrent sur cette promesse, raisonnables comme de vieux amants habitués à la solitude.

Après qu'elle eut raccroché, le silence de la maison tomba sur ses épaules et la traversa comme un brouillard humide.

«L'oiseau de malheur est revenu. Il faut que je m'y fasse, que je m'habitue à le voir prendre l'air que je respire, l'espace de mon regard. Je ne peux pas le tuer, il est déjà mort. Il pue la mort. Mais il ne m'aura pas! Il peut planer tant qu'il veut, m'arracher la peau, grain par grain, jamais je ne lui donnerai mon bonheur, à ce charognard! Jamais!»

La colère lui fit du bien, elle repoussait le désespoir, fouettait son sang. Bien sûr, le destin tramait toujours son malheur, elle le savait, mais la hargne intérieure qu'elle crachait pour y faire face lui redonnait un équilibre qui, malgré sa fragilité, la protégeait d'elle-même. Et puis, cette colère, c'était tout ce qu'elle avait pour frapper le spectre déployé.

***

La lumière se penchait vers l'ouest et jetait de longs regards dans l'étable. Les chevaux étaient rentrés. Sans se faire prier, ils avaient regagné les stalles et mangeaient avec appétit. Andrée donna un coup de balai dans l'allée, puis sortit toutes les selles et les harnais pour les huiler, comme chaque automne, chaque printemps. La jument qui occupait le box près de l'établi levait parfois la tête et posait ses yeux doux sur Andrée. Elle devait bien avoir vingt ans maintenant et, même si elle ne travaillait plus, Gabriel continuait néanmoins à l'appeler La Vaillante. Il faut dire qu'elle avait besogné, cette brave bête! Au début, quand Gabriel avait lancé son entreprise de coupe de bois, c'est avec elle qu'il avait «sorti» les billots et fait les sucres au printemps. Elle avait toujours été docile et les grosses charges ne lui faisaient pas peur. Puis, à mesure que ses affaires fleurissaient, Gabriel s'était équipé de tracteurs et, peu à peu, avait diminué les travaux de La Vaillante. Parfois, quand l'humidité n'était pas trop du temps et que les rhumatismes oubliaient un peu la bonne bête, il l'attelait encore et lui faisait faire la ronde d'un lot à bois. C'est fou, la mémoire d'un cheval. Après la tournée, il lâchait les guides et, même s'ils avaient tricoté le bois en tout sens, elle revenait toujours au grand chemin et prenait du côté de l'écurie, le pas haut et léger, avec la certitude tranquille de celle qui marche vers un univers que la mémoire n'a jamais quitté.

Un jour, ils avaient eu la visite d'un commerçant de chevaux, un petit homme sec et nerveux qui parlait très vite. Il «faisait les rangs», à la recherche d'animaux pour un abattoir de la ville et disait pouvoir donner un bon prix pour les chevaux, cette viande se vendant bien là-bas. Le bonhomme avait remarqué La Vaillante dans le champ, «d'un bon poids et plus une jeunesse», avait-il dit. Il s'offrait à les débarrasser de cette pensionnaire qui n'avait d'autre utilité que de manger et faire du fumier. Gabriel l'avait laissé débiter son baratin, mais ses yeux avaient pris une couleur sombre et dure qu'Andrée ne leur connaissait pas. Le ton tranchant comme un froid de février, il avait décliné l'offre en demandant au commerçant s'il vendrait sa vieille mère pour de pareilles raisons. Le bonhomme s'en était retourné, un peu estomaqué, le camion vide. Après son départ, Gabriel avait posé ses deux mains sur la clôture et serré une des perches très fort, fixant la bête qui broutait, tranquille, au loin. Andrée, à ses côtés, ne disait rien et regardait avec étonnement la blancheur de l'agressivité quitter lentement les jointures de Gabriel. Il n'était pas un homme de colère et elle vit, ce jour-là, qu'elle lui sortait par la peau avec douleur. «À chacun son métier, lui avait-il dit. Peut-être que, la prochaine fois, ce commerçant aura un peu plus de respect pour ces animaux qu'on fait trimer dur toutes leurs belles années et qui méritent bien des «vieux jours» en paix.»

Les parfums délicats de l'huile citronnée et du cuir se mêlaient à l'odeur persistante des chevaux. Le jour s'amenuisait dans un lit de nuages posés à ras de l'horizon, et la pénombre appelait des vents qui accouraient aux fenêtres de l'étable. Andrée alluma les veilleuses, une à chaque bout de l'allée, et traversa à la porcherie. Dans la première partie du bâtiment se trouvait la maternité, une douzaine de petits enclos pour autant de truies ayant mis bas ou sur le point de cochonner. Un rapide coup d'œil sur chacune des cages lui suffit pour constater que tout était en ordre. Pas de porcelets malades. Les deux truies en gestation la dévisageaient calmement et sans douleurs apparentes. Comme ses gestes et son attitude étaient différents de ceux qu'elle avait à ses débuts comme porchère! Et tout avait été si soudain que jamais elle n'aurait pensé faire ce métier jusqu'au jour où, à peine emménagée avec Gabriel, elle s'était retrouvée à l'encan de la veuve Doyon dans le rang voisin. C'était en mars et une pluie glaciale tombait sur la petite assistance groupée autour de la galerie où l'encanteur faisait de son mieux pour écouler la machinerie agricole. Un peu à l'écart, madame Doyon suivait les débats sous la tonnelle près du garage, sa fille unique à ses côtés. Une histoire misérable que celle d'Emma Doyon. D'une laideur presque insoutenable, elle avait marié le plus beau gars du village; c'était, paraît-il, le couple le plus dépareillé du canton. Il n'avait pas fallu longtemps pour que leur mariage tourne mal; Rosaire Doyon n'étant pas le genre d'homme à se contenter d'une seule femme. Et, plus il multipliait les infidélités, plus sa femme s'enfermait dans la solitude, jusqu'à devenir prisonnière de sa propre honte. Elle n'était pas partie, mais chacun vivait sur son territoire dans la même maison. Après les femmes, Rosaire avait dérivé dans l'alcool. Il ne se passait pas une semaine sans qu'il n'aille se soûler au village et il avait des flacons cachés partout.

Puis, il y avait eu cette affaire de viol. Une nuit, Emma Doyon était arrivée au presbytère, le visage en sang et à moitié-morte d'effroi. Elle avait été conduite à l'hôpital où l'on avait soigné ses contusions et pansé sa frayeur à grands coups de barbituriques. Le curé avait bien essayé de la faire parler, mais elle était restée muette et n'avait ouvert la bouche que pour demander qu'on la reconduise chez elle. Neuf mois après l'incident, Emma Doyon avait donné naissance à une petite fille chétive et blonde comme elle. Ce fut la seule enfant du couple et partout dans le village on chuchotait qu'elle était issue d'un viol. Bien sûr, les gens n'en parlaient pas ouvertement, mais ils savaient, pour l'avoir entendu dire par Rosaire Doyon à maintes reprises lors de ses virées au village, que sa femme lui refusait le lit conjugal depuis fort longtemps. Les années avaient passé, l'enfant était sa raison de vivre: Emma Doyon avait cessé de se cacher et était redevenue une femme à peu près normale.

La mort de Rosaire Doyon avait été à l'image des dernières années de sa vie. Comme une vieille bête de cirque, dans la solitude du spectacle qu'il se donnait à lui-même, il avait échoué sur un banc de neige après s'être soûlé au village. C'était en janvier, au cœur d'une nuit aussi froide que le vide de sa vie ratée. On n'avait jamais su pourquoi il avait laissé son auto dans le stationnement de l'hôtel du village ce soir-là, et encore moins pourquoi il avait pris à travers champs cette route longue et enneigée qui n'en était pas une pour le pas d'un homme ivre. Son chien, le seul être qui le respectât encore, peut-être, l'avait trouvé au petit matin, étendu de tout son long dans un champ au pied d'un banc de neige, à mi-chemin entre le village et sa maison. Son mari enterré, Emma Doyon avait touché l'argent de l'assurance et décidé de vendre les animaux et la machinerie, rentière d'une vieillesse précoce et d'un passé hanté par les mauvais souvenirs.

C'est au cours de cet encan qu'Andrée était devenue propriétaire d'un petit troupeau porcin: une vingtaine de truies, des porcelets et un mâle boiteux dont le poids faisait cinq fois ce qu'elle pesait elle-même. Avec Gabriel, elle avait déjà envisagé l'élevage de lapins, mais ils s'installaient à peine et avaient tant de choses à voir. Ils s'étaient simplement dit que ce serait une bonne idée.

L'encanteur avait annoncé que sa cliente désirait vendre le troupeau d'un seul bloc. En laissant aller les animaux un à un, elle risquait de rester avec quelques bêtes sur les bras, ce qu'elle ne souhaitait pas. Le petit groupe s'était déplacé dans la porcherie et les enchères avaient été ouvertes. Devant la maigre assistance, l'encanteur faisait l'éloge du troupeau avec toute la conviction de son talent oratoire. Andrée avait pris le bras de Gabriel. Tout allait si vite dans sa tête: elle mesurait les lieux et les comparait à l'espace vide de leur étable désaffectée. Elle comptait les animaux, les scrutait et s'étonnait de les trouver beaux et attachants. Gabriel la sentait s'agiter dans ses calculs. Il lui avait dit seulement: «Des cochons?» et elle avait fait «oui» de la tête. La vente avait été conclue rapidement, ils étaient les seuls à miser sérieusement sur le troupeau.

Ils s'étaient entendus avec madame Doyon pour que cette dernière garde les animaux jusqu'à ce qu'ils soient prêts à les recevoir. Sur le chemin du retour, Andrée avait demandé à Gabriel s'il s'y connaissait en élevage porcin; c'était, pour sa part, la première fois qu'elle voyait un cochon de si près. Ils avaient ri comme des fous. Il savait ce qu'elle ressentait devant le défi qu'elle s'était lancé. Andrée, elle, se pinçait, se demandait si elle n'était pas un peu dérangée, si elle n'avait pas agi sur un coup de tête en plongeant ainsi dans l'inconnu, mais elle ne pouvait s'empêcher d'être transportée de joie.

***

Pendant que Gabriel transformait une partie de l'étable en porcherie, Andrée s'initiait au métier de porchère. Chaque jour, matin et soir, elle se rendait chez Emma Doyon pour le train. La veuve connaissait ses cochons par cœur; elle en gardait depuis une bonne vingtaine d'années. Après deux semaines d'apprentissage, elle avait déclaré à Andrée qu'elle avait eu l'agréable surprise de constater que la jeune femme, grâce à sa curiosité, son intérêt évident, ferait une excellente porchère. Andrée le savait. Elle l'avait su dès le premier jour. Ce matin-là, une truie mettait bas et madame Doyon avait dit: «Le «cochonnage», c'est l'étape la plus importante de ton travail, ma fille. Viens, les choses vont parler d'elles-mêmes.» L'événement s'annonçait laborieux. La truie, une jeune bête qui en était à sa première portée, s'agitait dans l'enclos. Elle allait d'une cloison à l'autre, les yeux dilatés et l'écume à la bouche. Entre deux contractions, elle s'asseyait sur son train de derrière et fixait Andrée d'un regard perdu, comme pour lui demander si elle savait ce qui se passait. La veuve parlait à la bête, profitant de chaque trêve pour frictionner son pis gonflé et dur. Au bout d'une demi-heure, la truie s'était couchée sur le côté, les pattes raides et la tête renversée vers l'arrière. Un premier porcelet était arrivé, glissant sur le sol sans bruit. Sitôt expulsé, il s'était agité frénétiquement et était parvenu à se mettre debout. Son corps tout rose et humide tremblait d'un premier frisson dans le monde. D'un pas entêté, il s'était mis en route, souvent arrêté dans sa recherche par le cordon ombilical qui le reliait encore à sa mère. Quand ce lien à l'utérus avait cédé enfin, il avait pu rejoindre le flanc nourricier et s'était mis à fouiller parmi les douze mamelles de la truie, en quête du liquide chaud et riche. Il y avait eu sept autres porcelets, naissant sans bruit et tous mus par le même instinct de rejoindre le pis et d'y boire. Puis la truie, toujours allongée, avait expulsé le placenta et avait semblé s'endormir, les petits pressés contre son flanc.

Accroupie dans la cage, Emma Doyon l'avait assistée tout au long de la mise bas, donnant explications et conseils à mesure que les événements se succédaient. Les craintes et les appréhensions qui avaient jusque-là troublé le sommeil d'Andrée s'étaient alors évanouies et, abasourdie par la beauté et l'intensité de ce qu'elle venait de vivre, plus rien de ce monde inconnu et singulier ne lui faisait peur. Garder des truies, bien plus qu'une corvée consistant à donner de la moulée et à débarrasser les animaux de leurs excréments, était, d'abord et avant tout, un travail où l'on touchait du doigt la grandeur d'une nature toute maternelle.

***

Les bêtes, qui s'étaient levées à son entrée dans la porcherie, l'avaient reconnue et s'étaient recouchées pesamment. Andrée vérifia les litières, ajoutant un peu de bran de scie dans une cage où une petite portée de nouveau-nés cherchaient mutuellement à se réchauffer. Elle alla jeter un coup d'œil du côté de «la gestation». Cette dernière partie de la porcherie abritait deux mâles et les truies fécondées ou à accoupler. Pour ne pas agiter les animaux, curieux de nature et faciles à réveiller, elle ne fit qu'entrouvrir la porte. Un calme plat régnait dans les parcs plongés dans la pénombre.

La nuit, avec son cortège de nuages noirs, écrasait une dernière lueur attardée au bas du ciel. Le contraste entre la chaleur humide de la porcherie et le vent vif saisit Andrée. Elle avait l'impression que l'hiver déboutonnait son manteau et cherchait sa peau de ses longues mains froides. Elle traversa la cour au pas de course et, arrivée sur le perron, constata que pour la première fois de la journée elle sentait la faim. Secouant les jambes l'une après l'autre, elle retira ses bottes sans se pencher. Le geste, répété plusieurs fois par jour, ressemblait à une petite danse d'Indien. Le grand manteau qui lui servait à faire ses visites à la porcherie alla en rejoindre un autre, identique, sur un des crochets de la galerie. Chaque soir, Andrée effectuait ce rituel: le manteau de la journée restait dehors au vent tandis qu'elle rentrait celui de la veille, que le grand air avait débarrassé de son odeur.

Elle fit de la lumière et la cuisine silencieuse accueillit son regard comme une vieille amie. Dans la salle de bains située au fond de la cuisine, elle dénoua l'épais bonnet de plastique qui gardait ses cheveux à l'abri des relents de la porcherie et alla le déposer dans un seau où il tremperait, avec le reste de ses vêtements de travail, avant d'être lavé. Méthodique et ayant le sens de l'organisation, Andrée faisait les choses selon un ordre établi et elle était rarement prise au dépourvu. Gabriel était tout le contraire. Peu prévoyant, il improvisait avec ce qu'il avait sous la main et sa nonchalance lui jouait souvent de vilains tours. Andrée riait de ses distractions et le taquinait. Lui, il enviait, mais sans le lui avouer, son sens de l'organisation et disait: «Je t'ai pour me démêler et tu m'as pour te changer de la routine. Et puis, tu sais bien que je n'y peux rien; le bonheur, ça me met dans la lune.» Pourtant, ces six années de vie commune avaient façonné lentement leurs habitudes respectives. Andrée se surprenait à égarer des choses et Gabriel, maintenant, utilisait un agenda pour noter ses rendez-vous, ses commandes de bois, etc. Un curieux mélange d'admiration et d'habitudes partagées, bonnes ou mauvaises, les amenait à se ressembler, à se rejoindre dans les méandres de leur identité propre. Mais l'infinie patience du temps leur cachait ces subtiles mutations.

La faim s'était perdue quelque part dans le gargouillis de son ventre et ripostait au jeûne par une nausée qui lui nouait l'estomac. Andrée sortit une tranche de pain, la tartina d'un peu de beurre d'arachides et alla s'écraser sur une berceuse, à la fenêtre. Elle ne se sentait plus aucune force, sauf celle de se nourrir. À peine était-elle assise que la sonnerie du téléphone bouscula le silence et interrompit la bouchée qu'elle s'apprêtait à prendre dans sa tranche de pain. Au bout du fil, Léo Dumont, le bûcheron-chef de Gabriel, baragouinait des bonsoirs et des excuses, craignant d'avoir réveillé Andrée.

— Non non, je n'étais pas couchée, Léo, qu'est-ce que je peux faire pour vous?

Après s'être excusé encore une fois pour le dérangement, il demanda à parler à Gabriel.

— Il n'est pas ici, il est parti avec un ami pour la fin de semaine. Je l'attends lundi soir. Est-ce que je peux vous aider? Quelque chose ne va pas?

Léo Dumont avait toujours été mal à l'aise avec la jeune femme de son patron et, malgré ses soixante ans bien sonnés, il se sentait comme un petit écolier rougissant de timidité devant une maîtresse d'école dont les grands sont tous amoureux. C'était peut-être sa manière de parler ou alors les mots qu'elle utilisait et dont, parfois, il ne connaissait pas la signification. Et puis, le petit Gabriel avait cette façon de la regarder, de lui parler avec ses yeux. Quelquefois, quand il était témoin de leur discours muet, Léo avait l'impression de commettre un sacrilège par sa seule présence.

Après s'être essuyé le front, où la sueur perlait malgré lui, il prit une grande respiration et exposa son problème à Andrée.

— C'est au sujet du jeune Lemay. Gabriel l'avait engagé pour sortir du bois au lot 24, aujourd'hui pis demain. Ben, y paraît que son père est tombé malade pis y se ramasse tout seul avec quarante vaches à tirer. Ça fait qu'y pourra pas venir.

Andrée entendit souffler l'homme au bout du fil. Il avait débité tout cela d'un trait. Elle se souvenait que Gabriel lui avait parlé d'une commande pour la papetière dont le chargement était prévu le lundi. Elle posa la question à Léo.

— Ben oui, c'est ça. À la première heure, lundi matin, la «van» de pitounes va venir charger. Faudrait quasiment que j'parle à Gabriel pour savoir c'qu'y veut faire.
— Voulez-vous me donner cinq minutes, Léo? J'essaie de le rejoindre et je vous rappelle tout de suite.

Andrée reposa le combiné et s'appuya sur le mur. Elle n'avait pas l'intention de chercher à joindre Gabriel, elle voulait un peu de temps pour réfléchir et trouver une solution. Léo Dumont, c'était le bras droit de Gabriel, quelqu'un de fiable, qui le secondait et voyait à la bonne marche des chantiers de coupe de bois. Il avait gardé ses vieilles méthodes et ne prisait guère les changements. Malgré cela, Gabriel l'estimait beaucoup. Il était un précieux conseiller, un bûcheron pour qui le bois n'avait pas de secret.

Andrée se sentait entrer dans le mur, elle n'y était plus appuyée, elle s'y échouait, indéniablement. Elle pensa qu'il lui aurait fallu demander conseil à Léo, lui expliquer qu'elle se retrouvait seule avec la besogne et tellement dépourvue sans Gabriel. Mais elle ne l'avait pas fait et son courage virait à la lassitude.

Une fois de plus depuis quelque temps, Andrée puisa dans la source profonde de ses bonheurs pour y trouver un jet de lumière, la graine de folie qui viendrait caresser le fond de sa main et l'éveiller. Elle se força à réfléchir, à s'emparer du problème, à l'installer dans sa tête et à le faire tourner jusqu'à ce qu'il débouche sur une solution.

D'après ce qu'elle avait compris, on n'avait pas «sorti» un billot de toute la journée du lot 24, lequel se trouvait de l'autre côté de la rivière. Si Gabriel avait prévu que deux jours suffiraient au jeune Lemay pour effectuer le travail en cours, Andrée se dit qu'en engageant deux hommes pour faire la besogne le lendemain, le problème serait réglé. Traversant le salon, elle se rendit au bureau-bibliothèque situé de l'autre côté du grand escalier. Cette pièce avait été, originairement, la chambre principale. Elle donnait sur le rang, comme il en est dans presque toutes les vieilles maisons. Sous une fenêtre basse, Gabriel avait installé son secrétaire, un meuble de bois brun entre deux âges, décapé et reverni. Tous les murs disparaissaient sous les étagères où s'alignaient une multitude de livres et de revues. La plupart des bouquins venaient de Gabriel. Il achetait tout ce qui lui tombait sous la main: policiers, best-sellers, vieux manuels scolaires. C'était une passion et, comme il le lui avait dit ce dimanche de pluie six ans auparavant lorsqu'ils avaient installé tous ses volumes sur les tablettes: «C'est un bon investissement pour occuper ma retraite, et puis, si je deviens «malcommode» en vieillissant, tu pourras toujours m'enfermer ici. Je ne m'ennuierai pas, c'est certain!» Cette belle passion de Gabriel... Il n'allait jamais en ville sans s'arrêter à la bouquinerie. Au milieu des vieux ouvrages fleurant le moisi, parfum des mots oubliés et repliés sur eux-mêmes, Gabriel errait en marge du temps, cueillant les âmes de papier au petit bonheur.

Sous l'autre fenêtre, celle qui s'ouvrait sur la cour, un petit meuble abritait une collection de jouets de bois. Andrée en avait hérité de son père qui lui-même la tenait de son grand-père, menuisier au talent méconnu originaire du Nouveau-Brunswick, où il avait semé, avant d'émigrer au Québec, les fruits de son art dans les reliefs de plusieurs autels d'églises. Andrée attachait peu d'importance à cette collection ou du moins cette dernière n'avait pas de signification particulière pour elle. Enfant, ces jouets de bois ne l'avaient jamais attirée, contrairement à sa panoplie de poupées pour lesquelles elle gardait encore aujourd'hui un attachement profond. Gabriel, lui, ne se lassait pas d'admirer ces petits objets, répliques miniatures de ce qui entourait les gens de la terre au début du siècle, alors que l'agriculture n'était pas encore une science, mais affaire d'entêtement et de débrouillardise. Son préféré était un petit cheval bleu à la crinière blanche, que le patient sculpteur avait parsemée ici et là de fils d'or rappelant l'ondulation du crin fouetté par le vent. Parfois, il s'asseyait à son bureau, le jouet entre les mains, et restait longtemps le regard perdu dans la caresse du bois doux. Les souvenirs d'enfance l'enveloppaient: des odeurs de camphre, de laine mouillée, des couleurs en demi-teintes venaient s'asseoir sur ses genoux comme l'enfant timide qu'il avait été. Quand Andrée pénétrait ce monde occulte, elle prenait sans bruit un fauteuil de lecture et écoutait le silence de son amant. Peu à peu, il se mettait à lui raconter l'univers fragile et habité d'un petit garçon à l'imagination grande comme la maison qu'il partageait avec ses trois sœurs. Elle le suivait pas à pas à travers les saisons, les drames, trébuchant parfois sur une image, une confidence. Alors elle l'interrogeait, demandait la couleur du sentiment, le goût de la peine. Gabriel plissait les yeux, retournait un peu plus loin en lui-même et fabriquait une ressemblance à l'image du souvenir qu'il disait à mi-voix, pour ne pas le perdre sur le chemin et à tous les vents des paroles. Gabriel s'ouvrait devant elle comme la main de celui qui dort à l'abri des mauvais rêves. Et Andrée, pelotonnée au fond de son fauteuil, serrait déjà dans ses bras l'enfant que le destin lui réservait.

Sur le secrétaire, la lampe de laiton appelait les fantômes et les installait dans son cercle flavescent. Andrée secoua la tête et réveilla l'onde de sa chevelure, qui vint danser sur ses épaules. Elle avait des choses à régler et l'envoûtement des souvenirs de Gabriel lui faisait peur. Fouillant dans le premier tiroir du meuble, elle trouva le calepin où Gabriel notait les noms de ses employés et de ses aides-bûcherons. Après avoir tourné quelques pages, elle trouva enfin ce qu'elle cherchait: le numéro de téléphone des jumeaux Morin, Guy et Paul. Andrée ne les connaissait pas, mais elle avait souvent entendu Gabriel dire du bien de ces deux jeunes qu'il engageait occasionnellement. Elle regarda l'heure (il était près de dix heures) et retourna à la cuisine en se hâtant, le calepin sur le cœur comme un trésor.

En composant le numéro, elle se mit à penser qu'elle ne savait pas du tout où elle appelait. Une femme lui répondit.

— Oui, bonjour, est-ce que je suis bien chez Paul et Guy Morin?

La femme, d'une voix aimable, lui répondit qu'elle était la mère des jumeaux et lui demanda ce qu'elle voulait.

— Je m'excuse de vous déranger à cette heure, madame Morin. Je suis Andrée Guilbert, la femme de Gabriel Blanchet. J'appelle pour savoir si vos fils pourraient venir travailler demain. On aurait besoin de deux hommes pour sortir du bois au lot 24, derrière le village.
— Vous êtes pas chanceuse, les jumeaux sont sortis. Mais attendez une minute, je vais demander à mon mari: il doit être au courant de leur emploi du temps pour demain.

Andrée tira une chaise et s'assit à la table de la cuisine. Elle ne connaissait pas cette dame Morin, ni son mari, d'ailleurs. Elle lui paraissait pourtant bien sympathique et Andrée aurait pu jurer qu'elle avait senti son appel à l'aide. Gabriel lui parlait souvent des gens de Saint-Christophe mais, sauf Esther, cette tante éloignée de Lucien, le père de Gabriel, elle ne connaissait pas beaucoup de monde. Il est vrai qu'elle n'avait pas la facilité de Gabriel pour communiquer, sa façon naturelle d'aborder les gens et de faire connaissance. Et puis, Gabriel était né ici, y avait grandi. Qu'ils fussent du village ou du dernier rang de la paroisse, les gens partageaient tous la même église, la même épicerie et la salle d'attente du docteur Thibeault. Andrée se demandait combien il faudrait d'années pour changer en sociabilité rurale l'attitude de méfiance chronique de tout bon citadin, lorsque madame Morin revint au bout du fil.

— Vous êtes toujours là? Je m'suis fait jouer un tour, je pensais que mon mari était à la maison, il travaillait dans le garage pis je l'avais pas entendu sortir, dit-elle en riant. Bon, il dit que les jumeaux devraient être libres demain. On va essayer de les rejoindre, pis j' vas vous rappeler. Ça marche-tu?

Andrée la remercia d'avance et l'assura qu'elle attendrait son appel. Quelque chose pénétrait son esprit, avançait tranquillement à travers les brumes de la fatigue. Elle savait qu'un seul geste, comme se lever ou regarder dehors, lui suffirait pour chasser les pensées qui murmuraient en cherchant leurs mots à tâtons derrière son front. Résolue à faire face, elle ne bougea pas et attendit. Peu à peu les choses se précisèrent: elle voyait les terres à bois, l'érablière, les chevaux et les truies, toutes ces besognes qui faisaient un grand cercle et l'entouraient. L'ampleur de la tâche vint échouer lourdement sur ses épaules, la laissant les yeux agrandis et perdus dans les reflets de la grande table de bois.

«Jamais je n'arriverai à mener ça toute seule. Qu'est-ce que Gabriel voudrait que je fasse, qu'est-ce qu'il voudrait après. Après...»

La sensation d'être aspirée par le vide noua son estomac et projeta la douleur jusqu'au fond de sa gorge.

Elle s'arracha de sa chaise et, vieille d'un désespoir accablant, se rendit à l'évier. À deux mains, elle se mit à s'asperger le visage d'eau froide. Les larmes s'y mélangèrent, tranquillement. Elle s'écouta pleurer et cela lui fit du bien. Une tristesse profonde répandit, partout dans son corps, l'abrutissement et l'abandon.

Un peu plus tard, madame Morin la rappela pour lui dire que les jumeaux seraient au poste le lendemain matin. Andrée donna ensuite un coup de fil à Léo Dumont et lui demanda de passer au lot 24 pour jeter un coup d'œil sur les travaux. Engourdie de lassitude, elle prit une couverture et alla s'étendre sur le divan du salon. Elle s'endormit presque aussitôt, le visage tourné vers la télévision qui, toute la nuit, devait continuer d'éclairer son sommeil profond et sans image.

Une bonne partie de la journée du lendemain passa sans qu'elle la sente, jalonnée de fatigues et dans l'accoutumance des tâches quotidiennes. Après le train, elle cuisina un peu et tante Esther s'invita pour dîner. Rassurée par le calme de la jeune femme, elle la quitta après avoir fait la vaisselle avec Andrée et sur la promesse que la petite ferait une sieste dans l'après-midi. Le temps virait au gris. Les nuages ne se comptaient plus, ils formaient une masse opaque qui entraînait le ciel au ras du champ où la neige prenait des couleurs de nuit. Vers quatre heures, Léo passa la voir. Elle lui offrit du café, mais il préféra rester sur le seuil, comme toujours lorsque Gabriel n'était pas là. Le travail était fait au lot 24. Tous les billots avaient été «sortis» et attendaient, en bordure du chemin, d'être chargés le lendemain matin. Après avoir bafouillé quelques louanges sur la rapidité des jumeaux Morin et replacé sa casquette trois ou quatre fois sur son front, Léo prit congé en disant qu'il veillerait au chargement du bois en se rendant sur place à la première heure.

Andrée fit sa tournée du soir et rentra de la porcherie après s'être attardée à l'écurie. Les bêtes, comme le temps, fixaient le sol, maussades et sans entrain. Elle se fit du café et décida d'écrire à ses parents. Il y avait quelque temps qu'elle voulait le faire; ils n'étaient pas encore au courant pour Gabriel... Au début, elle pensait le leur apprendre à leur retour d'Europe, au commencement de l'été, mais plus les jours passaient, plus elle sentait le besoin de le leur dire. C'est grâce à un programme d'échange culturel que ses parents étaient en Angleterre; ils devaient y enseigner un an, tandis qu'un couple de professeurs du pays de Galles venaient faire de même au Québec. Ils écrivaient souvent, disaient qu'ils se plaisaient au milieu des vieux monuments et que les Londoniens ne démentaient pas l'idée que l'on se faisait des Anglais: flegmatiques et imperturbables.

Andrée commença sa lettre par les nouvelles d'usage: la ferme, sa santé plus que bonne. Puis, elle parla de Gabriel:

«Il est malade. Après plusieurs tests passés à Montréal, les médecins ont découvert qu'il avait un cancer. Je sais que j'aurais pu vous téléphoner, mais je n'aurais pas su comment vous annoncer cette nouvelle. Gabriel et moi, nous avons besoin d'un peu de temps pour accepter, être l'un à l'autre.»

Andrée posa son crayon et alla remplir sa tasse. Les mots lui faisaient mal.

«Gabriel est à Montréal pour quelques jours avec un ami, son meilleur ami. Depuis que nous savons qu'il a cette maladie, le monde a basculé. Je ne dors plus; je veux avoir chaque minute, chaque instant pour être près de lui, avec lui, parce que le temps, maintenant, compte trop. Je crois que je l'étouffe et je m'épuise à vouloir tout prendre, même au-delà de mes forces et de ses besoins de solitude, pour comprendre et accepter. Mais, voyez-vous, de nous deux, c'est encore lui le plus raisonnable. Avec Pierre, son ami, il veut revivre un peu de leurs folies de jeunesse, ils ont de si bons souvenirs ensemble. Gabriel et lui sont très liés; je suis heureuse qu'il puisse s'évader quelques jours. L'amitié mérite bien qu'on s'y attarde.

«Surtout, ne précipitez pas votre retour. Que vous reveniez maintenant ou en juin comme prévu ne changera rien. Ne vous faites pas de souci pour moi, je vais bien, je me découvre des forces insoupçonnées, et Gabriel a besoin de mon courage.

«Je vous embrasse tout en sachant que vous me téléphonerez bientôt, probablement dès que vous recevrez cette lettre. J'attends votre coup de fil. Je pense à vous souvent, je vous aime très, très fort.»

Les mots tournaient dans sa tête et, bien plus que le mal qu'elle s'était fait en les écrivant, elle imaginait le désarroi de ses parents, là-bas, de l'autre côté de la mer, lisant une lettre où elle leur disait: «Bientôt, vous me verrez veuve.» Depuis qu'elle vivait avec Gabriel, l'éloignement, et le bonheur surtout, l'avaient détachée physiquement de ses parents. Bien sûr, elle les adorait toujours, mais, quelque part dans son existence, ils avaient rejoint les êtres qu'on aime sans éprouver ce besoin viscéral de les côtoyer, de les toucher. Cette soif de présence, ce goût de l'autre toujours et jamais assouvi, c'est avec Gabriel qu'elle en vivait toutes les exigences, les mouvances et les renouvellements. Son besoin de lui la menait à mille rendez-vous dans le quotidien: un sourire qui vous embrasse et qui vous pénètre jusqu'à l'échine, des regards que l'on est seul à savoir être des aveux et qui épousent le corps comme le creux d'un lit. Ce monde, leur monde, lui suffisait et ce qui existait à l'extérieur de cet univers avait peu d'importance.

Sur le téléviseur, une horloge numérique marquait le temps de ses petits traits rouges. Couché sur le dos, les mains sous la nuque, Gabriel le regardait s'égrener pendant que Pierre dormait profondément. Sa respiration lente remplissait la chambre couverte de temps à autre par les bruits de la circulation sur le boulevard.

Le jour devait maintenant se lever quelque part derrière tous ces grands immeubles du centre-ville de Toronto. Gabriel avait l'habitude de se réveiller tôt, souvent bien avant le soleil. Il aimait les matins, ces moments où le silence se trouble de lumière et de bruit. À la maison, il était toujours le premier debout. Avant de descendre, il s'approchait d'Andrée pour humer le parfum de sa nuit, un effluve de chaleur captive. Il descendait préparer le café, faisait une attisée puis prenait une chaise déjà à la fenêtre, où il s'asseyait pour mûrir sa journée. La frénésie, peu à peu, réveillait l'énergie de son corps. Comme lorsqu'il était enfant, l'impatience le gagnait et il savourait son contentement, le bonheur d'être toujours là, au beau milieu de la vie, avec cette envie folle d'y mordre comme à une pomme que l'on va soi-même cueillir à l'arbre.

Il lui tardait de se lever et de trouver une fenêtre où poser ses yeux sur l'arrivée du matin. Avec beaucoup de précautions, il se glissa hors du lit, mit ses vêtements et sortit sur la pointe des pieds. En face de l'hôtel, le McDonald's ouvrait. Les lumières du restaurant brisaient le sceau gris de la nuit parvenue à son dernier souffle. Il acheta un café format géant et ressortit aussitôt, préférant se mettre à la recherche d'un endroit où s'asseoir tranquille. Après s'être éloigné du boulevard et avoir parcouru quelques coins de rue, il déboucha sur une avenue du centre-ville. L'artère commerciale était large et bordée de petits arbres protégés par des clôtures en fer forgé. Gabriel ne put s'empêcher de rire à l'idée qu'on barricadait même les arbres, en ville... Des bancs marquaient les arrêts d'autobus. Il marcha encore un peu avant d'en choisir un et de s'y installer. Il avait une drôle d'impression... Tous ces magasins et échoppes qui «faisaient le trottoir» avec leurs vitrines aguichantes et lui, il était là, tout seul sur un banc, dans un endroit où dans quelques heures des centaines de personnes se marcheraient sur les pieds.

— Le jour et la nuit. Pour les autres, c'est le jour. Moi, je m'en vais vers la nuit.

Il avait pensé tout haut. Cela lui arrivait souvent depuis quelque temps. L'idée de ne plus maîtriser son esprit l'effleura et amena un malaise qu'il s'appliqua à chasser en dévorant les étalages des yeux.

De l'autre côté de la rue, une boutique de vêtements et accessoires pour mariés «étalait» ses mannequins somptueusement habillés de blanc. Il y avait, au centre, une robe qui éclipsait toutes les autres. Le bustier, tout en dentelle, enlaçait le haut du corps dans un réseau filamenteux qui donnait envie de le toucher. Montant haut, le col serti de petites pierres accrochait la lumière comme un miroir. La dentelle courait encore jusqu'à l'étranglement de la taille et terminait sa romance sur une pointe gardant jalousement le pubis. Tout cet ouvrage délicat se mariait au faste de la jupe ample et d'un éclat satiné. À ses côtés, un mannequin masculin, tout de blanc vêtu lui aussi, cherchait les yeux de sa bien-aimée, penché sur elle. Gabriel avait toujours été complètement indifférent au mariage. Pourquoi organiser pareille mascarade? Pour les amis? Les parents? Pour le curé et son église?... Marié, il l'était, devant Dieu et devant les hommes, son Dieu, celui qu'il sentait vivre en lui et cheminer à ses côtés, et à qui, chaque jour, il offrait ses joies, ses peines, le désir de toujours faire mieux. Ce Dieu-là n'était-Il pas le témoin de l'engagement profond qu'il avait pris avec Andrée? Et c'est cela qui comptait pour lui. Les cérémonies, les rites n'avaient aucune signification et n'étaient écrits nulle part dans le livre invisible de ses croyances. Sa foi, c'était de croire en cette portion de divinité que chacun porte en soi et qu'on glorifie en la touchant, en en reconnaissant la différence. Oui, une différence, un signe distinct. De toute la création, l'homme était le seul être à posséder les notions de divinité, d'idéal qu'il porte en lui, pensait Gabriel. Était-ce dû à l'avantage de l'intelligence? Probablement, se disait-il, mais l'origine lui importait peu, il était fasciné par l'influence de cette semence de génie enfouie et perdue dans le jardin de la vie. Un beau jour, on la découvre et avec elle, ses promesses, le goût de ses fruits. Aujourd'hui, il se rendait compte qu'il avait toujours su cela. Même avant de pouvoir articuler sa pensée, de trouver les mots pour s'expliquer ce privilège. Il le savait. Cela flottait quelque part dans son cerveau et faisait de la lumière dans sa tête comme l'évidence du matin.

Il était toujours seul. Parfois, une auto passait et déchirait le silence de la rue. Des filets de soleil se disputaient de rares couloirs entre les édifices et faisaient des trouées blondes sur la rue.

«Il va faire beau. Je me demande depuis quand la neige est partie, ici. Si Andrée était venue avec moi, je la verrais probablement déboucher au bout de l'avenue.

Je ne sais pas comment elle fait, elle sait toujours où me trouver. Elle dit que c'est son intuition; moi, j'appelle ça de la clairvoyance. Mon Dieu que c'est bon de savoir qu'on est quelque part dans l'autre!»

Porté par cette joie, il se leva et traversa la rue. Il avait envie d'imaginer Andrée et lui même dans la blancheur du mariage comme tant de gens. De près, la robe restait magnifique, mais les détails dévoilés en atténuaient un peu le mystère.

«Des habits de rêve. Mais comment fait-on pour passer une vie et même une seule journée dans toute cette blancheur sans la salir? Et puis ces visages... On dirait que ces mariés vont à un enterrement. Non, pire que ça, ils ont l'air de snobs qui s'ennuient à mourir en écoutant un opéra chanté en italien. Ils auraient pu au moins trouver des mannequins qui ont l'air un peu plus heureux.»

Pour chasser la déception que lui inspirait maintenant la vitrine, il fit volte-face et partit à la course. En chemin, il planifia sa journée. D'abord, aller déjeuner avec Pierre et convenir d'un endroit où se retrouver par la suite. Gabriel avait des achats à faire, ce à quoi il voulait réserver une partie de son avant-midi. Puis, son rendez-vous à la clinique en début d'après-midi allait occuper le reste de la journée. En principe, lui et Pierre devaient encore coucher à Toronto et partir pour Saint-Christophe le lendemain mais, plus il pensait, plus il se disait que si son ami était d'accord, il aimerait retourner chez lui le soir même, quitte à arriver au beau milieu de la nuit.

Absorbé par ses pensées, il entra dans la chambre sans se préoccuper de ne pas faire de bruit. Pierre bougea dans son lit.

— Comment, tu dors encore? Tu ne changes pas, hein, toujours aussi marmotte qu'avant!

Pierre grogna et enfouit sa tête sous l'oreiller.

— Je te ferai remarquer, Gabriel Blanchet, qu'on n'est pas dans une basse-cour. Se lever à l'heure des poules, c'est bon pour... C'est bon pour les coqs.

Un énorme crac! interrompit les lamentations de Pierre. Le bruit résonna dans la chambre comme un coup de fusil. Tel un ressort, Pierre se retrouva assis. Gabriel rigolait comme un fou, étendu de tout son long sur son lit qui gémissait en ballottant.

— C'était quoi ce bruit d'enfer? demanda Pierre, les yeux encore tout dilatés.

Gabriel s'assit au bord du lit et se mit à le faire bouger en s'y balançant.

— Mon cher Pierre, cette paillasse doit avoir connu plus de parties de fesses que toutes celles qu'on a pu faire toi et moi, et je dis bien les tiennes et les miennes. Pour rebondir et se lamenter comme ça, il faut en avoir vu, je t'assure!
— J'pensais que le plafond venait de tomber. Mais qu'est-ce que tu lui as fait, à ce lit, «pour l'amour»?

Gabriel cligna des yeux, prit un air plein d'innocence et lui répondit:

— Ben... Disons que je me suis donné un petit élan pour m'étendre. Non mais, sans blague, quand je l'ai entendu craquer, je pensais bien que la base avait lâché. En tout cas, j'ai trouvé un bon moyen pour te faire lever; je ne t'ai jamais vu aussi réveillé le matin. Quand ta tête est sortie des couvertures, mon vieux, t'aurais dû te voir la face, les yeux grands comme ça.

Pierre ne put s'empêcher de rire à son tour et ils se laissèrent tomber chacun sur leur lit en riant de plus belle aux grincements des ressorts, lesquels avaient repris de plus belle. Pierre se mit à gémir d'une voix aiguë et exagérément forte pour parodier une relation sexuelle intense. Il haletait, s'extasiait, poussait de longs cris. Gabriel n'en pouvait plus et riait en se tenant les côtes à deux mains. Trois coups secs frappés sur le mur, suivis de quelques jurons, les calmèrent. Un peu plus tard, alors qu'ils allaient sortir, Pierre continua le jeu plus discrètement sur le seuil où il susurra à Gabriel, d'une voix mielleuse:

— Moi, mon chou, j'ai toujours faim après...

Le McDonald's était bourré de monde; il y avait des gens partout. Ils s'installèrent à une table pour deux. Gabriel était fasciné par les gens qui déjeunaient et se parlaient à tue-tête afin de pouvoir se comprendre malgré le tumulte. Il y avait ici des hommes absorbés dans leur journal, isolés de tout comme s'ils avaient été sur une planète inhabitée; et là, un jeune couple, l'air un peu hagard, un restant de passion dans les yeux. On aurait dit deux solitudes rescapées d'une nuit partagée. En face de lui, Gabriel remarqua deux femmes qui tentaient de contenir la vitalité matinale de cinq enfants en avalant nerveusement leur petit déjeuner. Elles étaient tout occupées à arbitrer une partie de hockey que les petits se disputaient sur la table avec des bâtonnets et des morceaux de toast. Pierre ne voyait rien, il s'était habitué à ce genre de spectacle. Avec le temps, il avait appris à se réfugier dans l'indifférence et n'avait plus, comme Gabriel, cette curiosité envers les gens nouveaux. Cette sensibilité. Ils déjeunèrent en silence, Gabriel attentif au spectacle des citadins et Pierre plongé dans les pages sportives du journal. Ils se laissèrent sur le parking du motel. Pierre prit l'autobus pour se rendre chez un ami qui avait une petite entreprise en rénovation résidentielle en banlieue de Toronto et Gabriel garda l'auto. Ils s'entendirent pour se rejoindre dans un pub un peu plus bas sur la même rue en milieu d'après-midi. Ils s'étaient mis d'accord pour retourner à Saint-Christophe le jour même.

Un peu avant d'arriver à Montréal, Gabriel avait basculé son siège et s'était endormi. L'autoroute étant à peu près déserte, Pierre augmenta la vitesse et alluma une cigarette. Catherine détestait qu'il fume et il ne le faisait jamais, sauf quand il prenait un verre. Il aimait bien s'offrir une bonne Gitane qui vous écorche la gorge et que l'on fait suivre d'une rasade de bière fraîche pour éteindre le feu. Un plaisir simple et innocent. Pourquoi n'avait-il jamais pu en convaincre Catherine?

Pierre se remémora sa journée. De temps en temps, il jetait un regard sur son ami allongé à côté de lui. Il ne voyait pas son visage dans la pénombre, mais Gabriel semblait dormir profondément. Il le devinait aux ballottements de sa tête quand la route devenait cahoteuse. Pierre ne comprenait pas pourquoi Gabriel s'était montré si mystérieux quand il avait été question de ce rendez-vous à une clinique de Toronto. Cela le chicotait. Tout d'abord, il avait voulu savoir à quelle clinique Gabriel devait se rendre. Lui répondant sur un ton vague, celui-ci lui avait parlé d'un centre médical situé au nord de la ville. Pierre n'avait pu en savoir très long: il s'agissait d'examens et Gabriel tenait à s'y rendre seul. Mais, surtout, il revoyait le regard de ce dernier planté dans le sien quand il lui avait fait jurer de ne jamais parler de cela à Andrée. «Même, lui avait-il dit si ce «maudit» cancer devait me tuer.» Pierre ne comprenait pas. Pourquoi tant de secrets pour un examen médical et pourquoi Gabriel allait-il si loin pour consulter? Il cessa de se poser des questions, se bornant à se dire qu'il avait fait une promesse qu'il respecterait même si tout cela l'intriguait fortement. Il avait beau chercher, il ne trouvait pas la clé de l'énigme.

Une petite neige fatiguée s'était mise à tomber, fine poudre blanche qui éclairait un peu la nuit. Pierre écrasa sa cigarette, se cala profondément sur son siège et accéléra encore. Il était content d'être seul sur la route: cela le changeait de tous ces trajets qui le conduisaient à Québec et au cours desquels il se débattait avec des milliers d'autres travailleurs qui se démenaient comme lui dans une circulation dense. Lorsqu'il emprunta la bretelle qui donne accès à Saint-Christophe, il s'aperçut que la neige avait pris de la force: il avait été si absorbé par ses pensées qu'il ne l'avait pas vue augmenter jusqu'à tomber dru.

Doucement, il pénétra dans l'allée de la maison et immobilisa la voiture près du perron. Il se tourna vers Gabriel, qui semblait toujours dormir. Quelque chose lui noua la gorge et l'effraya. Pourquoi ne se réveillait-il pas? Pierre se mit à scruter le visage de son ami et, plus il le regardait, plus il le voyait mal. La peur jetait devant ses yeux un brouillard gris et il sentait les battements de son cœur lui remplir les oreilles. Au cours de ce voyage avec Gabriel, jamais il ne lui avait posé la moindre question sur sa maladie; il en avait été tout simplement incapable. Il n'aurait peut-être pas eu la force nécessaire pour l'entendre lui dire qu'un «maudit» cancer pouvait l'emporter. En dépit de sa curiosité, il avait préféré laisser le temps couler et cette mort appréhendée venir à lui comme un orage qui se dessine dans le lointain de l'horizon à la nuit tombée: il viendra peut-être, mais l'obscurité nous en cache la route et l'heure.

— Nous sommes arrivés?

Pierre sursauta, complètement perdu. Il avait eu très peur que Gabriel ne se réveille plus et, bizarrement, il ne l'avait même pas vu ouvrir les yeux. D'un geste vif, il tourna la tête et ouvrit la fenêtre.

— Oui, nous sommes arrivés. Tu t'es tapé un beau somme; j'pensais être obligé de te porter dans mes bras jusqu'à ton lit.

Pierre s'efforçait de retrouver son air normal, mais Gabriel se rendait bien compte qu'il était secoué.

— Qu'est-ce que tu as? Tu as l'air tout à l'envers.

Pierre ne répondit pas. Il avait un nœud dans la gorge et le vent froid qui lui fouettait le visage ne lui était d'aucun secours pour chasser sa tristesse. Lentement, il se tourna vers Gabriel et lui offrit son visage défait.

Gabriel baissa les yeux. Il y avait si peu à dire, si peu, mais c'était si lourd. La cour baignait dans la lumière éphémère d'une neige éblouie par un réverbère. Il avait hâte de se retrouver chez lui, de s'étendre près d'Andrée et de dormir sans avoir, à chaque instant, à briser le vide qui l'étranglait. Il sortit de l'auto, en fit le tour et s'approcha de Pierre. Il posa une main sur son épaule et lui dit qu'un beau jour il faudrait qu'ils se revoient pour parler de tout cela. Pierre acquiesça sans un mot et sortit à son tour pour prendre les bagages de Gabriel dans le coffre.

Ils se serrèrent la main. Pierre, étant incapable de parler, remonta dans l'auto, la gorge serrée. Le bruit de la portière résonna dans le vide de la cour. Gabriel regarda s'éloigner la petite voiture de son ami et, quand elle eut franchi le coteau situé non loin de la maison d'Esther, il la quitta des yeux, empoigna ses sacs de voyage et monta quatre à quatre les marches du perron.

La porte de la maison, verrouillée, refusa d'ouvrir.

«C'est vrai, elle ne m'attendait pas ce soir. J'espère qu'il y a encore une clé de la maison dans ma voiture.»

Il trouva la clé au fond du coffre à gants. Quand il habitait chez son père, on ne verrouillait jamais les portes, on n'y pensait même pas: les gens se faisaient confiance. C'était pareil, ici. Depuis qu'il avait emménagé, il n'avait jamais eu à se servir de la clé pour entrer. À quoi cela aurait-il servi? Les voleurs, s'il en venait, ne s'intéresseraient sûrement pas à ce que lui et Andrée considéraient comme précieux: leurs photos, les deux vieilles berceuses de la cuisine au «ballant» si familier, les livres aux coins écornés de la bibliothèque et les jouets anciens laissés à leur usure. Une télévision, la chaîne haute fidélité: oui ces possessions, peut-être, auraient un certain attrait pour des cambrioleurs, mais c'était des meubles sans souvenir, des objets que l'on peut voir partir sans une vague au cœur et que l'on remplace le lendemain matin, comme lorsqu'on décide d'aller à l'épicerie chercher quelque denrée habituelle.

La porte s'ouvrit sans bruit. Un instant, Gabriel avait eu peur que la clé trouvée dans le coffre à gants ne fût pas la bonne. La chaleur de la cuisine saisit son visage et il s'aperçut qu'il grelottait de froid. Pour faire le moins de bruit possible, il déposa son manteau sur une chaise et laissa ses sacs près de la porte. Seul le poêle à bois veillait et répandait son murmure dans la maison assoupie. Il monta l'escalier sur la pointe des pieds, à tâtons, en suivant le mur du bout des doigts. Il sentait se dérouler en lui une joie large et profonde, qui excitait son corps fatigué. Il s'arrêta sur le seuil de la porte de la chambre. Ses yeux, s'habituant à l'obscurité, découvraient peu à peu les formes d'Andrée qui se dessinaient sur le lit. Elle était couchée sur le côté et serrait un coussin contre elle. Gabriel pouvait voir le fleuve des cheveux descendre l'oreiller, la chair blanche de l'épaule émerger des couvertures comme une île éclairée dans le lointain. Elle dormait profondément, la tête légèrement penchée vers l'arrière. Gabriel ferma les yeux et reçut le coup de l'absence. Ces quelques jours passés loin d'elle marquaient, comme au fer rouge, les limites du bonheur.

Quand il commença à se dévêtir, Andrée bougea.

— C'est moi. Reste couchée; c'est moi, je suis revenu.

Il avait parlé tout bas, penché sur elle. L'impatience qu'il mettait à se déshabiller lui donnait l'impression de se battre contre des vêtements doués de vie et d'intentions malveillantes.

Andrée s'était assise sur le lit et se frottait les yeux. Gabriel finit par arracher la dernière jambe de son jean. Il se glissa près d'elle, saisit ses épaules et l'allongea à ses côtés. La chaleur de son corps avait pénétré le lit. Gabriel sentait cette chaleur l'approcher lentement comme un animal. Andrée se tourna vers lui. Ce geste et ceux qui allaient suivre, des centaines de fois répétés, suffisaient à recréer le rendez-vous de la nuit et de leurs corps à l'abri l'un de l'autre. Elle nicha sa tête dans le creux de son épaule, déposa une jambe sur les siennes et sa main, comme un oiseau posé sur une branche frêle, se laissa bercer par le vent de sa poitrine.

Gabriel recevait l'abandon de ce corps sur le sien; il pouvait le voir, yeux clos, le recouvrir et faire avec lui une seule ombre dans la lumière. Lentement, il glissa la main sous l'une des aisselles d'Andrée, à la rencontre d'un sein. Il aurait voulu arrêter le déroulement des images qui foisonnaient derrière son front: la mer de l'Est, le bleu violent de la mer qui vous monte dans les bras et vous tient dans la beauté du monde, avec le seul bonheur de respirer. D'autres images encore: des fruits, une multitude de fruits fécondant une nappe blanche. Des pêches appelaient ses mains et criaient la caresse du velours, la rondeur d'un parfum enveloppant et le plaisir savouré à l'avance d'un doux nectar. Lui qui n'avait jamais pu croquer ces fruits rêches sans frémir de malaise, il s'attardait maintenant dans son désir de les porter à sa bouche. Dehors, un oiseau mangeait des morceaux de pain laissés sur une «cordelle» de bois et il n'y avait dans le vent que le bruit de l'hiver et le secret des ans enroulés dans le safran des arbres couchés.

Juste avant de glisser dans le sommeil, il pensa qu'il eût été bon de faire l'amour. C'est avec cette promesse qu'il s'endormit, emportant avec lui le bercement du pubis d'Andrée effleurant sa hanche à chaque respiration.

Gabriel se réveilla un peu avant l'aube. Andrée lui faisait dos; il s'en approcha et blottit tout son corps contre le sien. D'un geste machinal, elle saisit la main de Gabriel et la porta à sa poitrine. Au bout de quelques minutes, elle s'assoupit de nouveau et son bras retomba sur le matelas, dénouant l'étreinte. Gabriel se leva sans bruit et descendit à la cuisine.

Il y faisait froid comme toujours le matin. Le poêle avait agonisé et la nuit s'était faufilée dans des lieux sans garde. Il prépara du café et fit une attisée. La cafetière se mit bientôt à ronronner sur la cuisinière. Quand l'infusion fut terminée, il s'en versa une grande tasse et s'installa près de la fenêtre.

Peu à peu, le ciel se dessinait; une lueur pâle et indécise, au bout du champ d'abord; puis une lumière douce, teintée de couleurs de flamme embrumée. Gabriel pouvait maintenant deviner le village au loin et l'imaginait se réveillant tout autour du clocher de l'église. Le vieux Baptiste Lambert devait pelleter sa galerie et se demander ce qu'il allait encore faire de toute cette journée qu'il avait devant lui. Marie, la plus âgée de ses sœurs, préparait sûrement les «boîtes à lunch» de ses enfants avant qu'ils ne partent à l'école. De la fenêtre de sa cuisine, laquelle donnait sur la maison «du père», elle devait guetter ce dernier pour lui envoyer la main quand il sortirait, comme elle le faisait chaque matin de la semaine. Gabriel regarda l'heure. Six heures et demie. Son père devait être en train d'enfiler son manteau. Les ouvriers arrivaient au moulin vers sept heures. Lucien Blanchet, depuis près de quarante ans maintenant, sortait de chez lui par la porte arrière, traversait la cour à bois et allait démarrer les machines avant l'arrivée des hommes. Gabriel le voyait marcher entre les tas de planches et de billots, les mains dans les poches et le regard scrutant le champ derrière le moulin, tentant d'apercevoir quelque chevreuil. Ils venaient en grand nombre, surtout au printemps, chercher un peu de nourriture dans les labours ou à l'orée du bois, au milieu des aulnes. On avait même vu, au cours d'hivers particulièrement durs, des bandes de chevreuils errer aux abords du village de la fin décembre jusqu'à la fonte des neiges.

Lucien avait acheté de son père le moulin à scie et y avait toujours travaillé. Il ne l'avait jamais dit ouvertement mais, quand leur quatrième enfant était arrivé et que le Bon Dieu avait voulu que ce fût enfin un fils, Lucien Blanchet avait remercié son Créateur et fait la promesse de faire fructifier le vieux bien pour son descendant, comme son père l'avait fait avant lui.

«Le père, j'achèterai jamais ton moulin.»

C'est ce que Gabriel lui avait dit lorsqu'il avait annoncé sa maladie aux siens. Il revoyait sa mère... Elle épluchait des patates pour le souper. Rita Blanchet s'était dessaisie de son couteau, avait essuyé ses mains sur son tablier et s'était approchée de la table où Gabriel était assis avec son père. La mine défaite de son fils et ce ton bas, presque un murmure, lui avaient fait sentir un malheur: elle ne savait pas lequel mais, dans sa poitrine, un étau s'était resserré et lui avait fait mal.

Ils avaient beaucoup pleuré. Ils avaient parlé, s'étaient étreint les mains, mais le silence était revenu sans cesse, amenant avec lui une douleur trop grande pour en accepter le poids. Personne n'avait soupé. Andrée avait fait du café; elle s'était efforcée de conserver son calme et s'était portée sans relâche au secours de sa belle-mère complètement anéantie par le chagrin.

Après le départ de son fils, Lucien Blanchet avait appelé le docteur Thibeault, le premier qui avait soupçonné un cancer et envoyé Gabriel voir un spécialiste. Le docteur Thibeault, ce n'était pas seulement le médecin de la famille, c'était aussi un ami, celui qui avait mis au monde tous les petits Blanchet et la plupart des enfants de Saint-Christophe. Lucien, la gorge serrée, avait voulu savoir si Gabriel ne se trompait pas, si vraiment, comme son fils le leur avait dit, peu d'espoir était permis. Le docteur avait confirmé les dires de ce dernier: Gabriel était atteint d'un cancer très rare et, jusqu'à présent, on ne connaissait aucun traitement valable. Il avait essayé de réconforter son ami et, ne trouvant plus les mots pour l'apaiser, s'était précipité chez lui. Il y avait trouvé Rita Blanchet, prostrée sur une chaise, pleurant silencieusement ce fils qui avait pris racine dans sa chair et, quelque part, y vivait encore. Le docteur Thibeault s'était empressé de lui prescrire un calmant et avait aidé Lucien à la coucher. Après avoir longuement tapoté l'épaule de son ami, il était reparti sans pouvoir proférer quelque parole qui puisse anesthésier la douleur de son âme.

***

«Le père, j'achèterai jamais ton moulin.»

Gabriel tournait la phrase dans sa tête. Bizarrement, elle tombait sans lui faire mal. Ce qui le blessait, l'inquiétait, c'était de sentir son père anéanti par l'écroulement du beau rêve de continuité qu'il avait fait pour son fils. Lucien Blanchet était un homme à la parole rare, à l'émotion enfouie sous une dure carapace. Ses rêves, ses ambitions, il les portait à bout de bras, avec un entêtement qui ressemblait parfois à de la prétention. Le regard perdu dans le mouvement du matin, Gabriel se demandait s'il avait vraiment désiré prendre charge du moulin, un jour. Il y allait depuis qu'il savait marcher et, alors qu'il était encore étudiant, il y travaillait tous les étés. Puis, lorsqu'il avait décidé d'abandonner l'école après ses études secondaires, il avait suivi les pas de son père qui l'amenait au moulin chaque matin, tout naturellement, sans chercher à savoir s'il avait envie d'autre chose. À dix-huit ans, il achetait son premier lot à bois. À vingt-cinq ans, il en possédait une dizaine et ne travaillait plus au moulin qu'aux temps morts de l'hiver, quand la saison était trop dure pour faire la coupe du bois. Mais, ce matin-là, penché sur sa tasse de café vide, il ne pouvait répondre à cette question, laquelle s'accrochait aux parois de la porcelaine et lui retournait son doute en lui cachant le spectacle de l'aube à l'apogée de sa course.

Le temps, en soufflant sur les jours, l'avait mené au long d'une route où il semait les graines de son pain non loin de celles de son père, qu'il pouvait apercevoir de l'autre côté du champ des âges séparant un homme et son fils. Et si le destin lui avait caché l'avenir? S'il avait pu croire en la vie, en celle qui vous couche au bout d'un long chemin, aurait-il été l'enfant prodigue que son père avait espéré? Le fils qui tend les mains et reçoit les fruits d'un arbre abreuvé de sueur; un arbre gardé jour et nuit du vent et des pilleurs et dont la sève, si elle suinte d'une blessure, trace un filet rouge sur l'écorce. Gabriel aurait voulu dire oui, répondre qu'il était bien le fils rêvé de son père, mais il n'en était pas certain. Il trouvait incompréhensible son indifférence devant cet héritage si précieux dont la maladie le privait. Était-ce parce qu'il n'avait jamais vraiment eu l'intention d'acheter le moulin? Ou, s'il avait voulu le faire, n'était-ce pas parce que, depuis toujours on lui avait dit que ce moulin était son bien, celui qu'il se devait de faire perdurer dans le temps? Tout cela tournait dans sa tête, fouillait ses souvenirs et sa raison.

Un craquement ébranla le silence et ramena ses pensées dans la pièce. Andrée se levait. Le plafond gémissait sous ses pas et Gabriel, de sa chaise, la suivit jusqu'à la salle de bains de l'étage. Quand elle ouvrit les robinets, les tuyaux émirent un petit grondement sourd.

Gabriel sourit à l'idée d'avoir, guidé par les sons, deviné ses déplacements.

La lumière glissait partout dans la cuisine, le poêle ronronnait de bonheur, brûlant un gros quartier de bois qui tournait à la braise. Il avait jonglé longtemps, tellement absorbé par ses pensées qu'il n'avait pas senti le temps ramener le soleil jouer sur la neige. Il se leva et s'étira face à la fenêtre, comme un chat qui se réveille d'une longue sieste devant la cheminée. C'est là qu'Andrée le trouva, les bras tendus au plafond, la tête un peu renversée vers l'arrière et le corps suspendu à un bâillement long et sonore.

«Comme il est beau», pensa-t-elle avec tendresse. Faisant quelques grandes enjambées, elle vint se placer devant lui et l'enserra pendant qu'il s'étirait encore. Une éternité de vide passa; elle retenait son souffle, plaquée à lui, à ce corps durci par les muscles bandés et qui ne répondait pas. Il lui était soudainement presque inconnu. Puis, Gabriel baissa les bras et l'enlaça. Elle retrouva le refuge de ses larges épaules, l'ivresse de son souffle près du sien et sa chaleur, qui lui brûlait les seins. Il lui murmura son ennuyance, la langueur du temps qui s'était écoulé en demi-mesure loin d'elle. Andrée ne répondait pas, se pressait encore davantage sur la poitrine de Gabriel où les mots résonnaient avant de mourir dans son cou. Sa voix, cette vibration et le chemin qu'elles faisaient en elle lui auraient suffi pour renaître des centaines de fois.

— Assieds-toi, je te sers une tasse de café. Il faut que je te parle.

Andrée s'installa dans sa berceuse et, malgré l'inquiétude qui pointait dans la voix de Gabriel, le regarda avec bonheur s'affairer à remplir les tasses. Quand il lui tendit la sienne tout en s'asseyant sur la chaise qui lui faisait face, elle réalisa au tourment de son visage que quelque chose n'allait pas.

— J'ai pensé beaucoup au père et j'ai du mal à comprendre à propos du moulin. Ce matin, je me suis demandé si cela m'a déjà vraiment intéressé... Maintenant que la vie en a décidé autrement, je me pose la question et je me rends compte qu'au fond je n'en ai peut-être jamais voulu. C'est étrange, ce détachement, comme si ce n'était rien pour moi. Ça me laisse complètement indifférent.

Il s'adossa et plongea les lèvres dans sa tasse. Andrée pouvait voir dans ses yeux l'attente et le dilemme, comme les lueurs mouillées d'une peine. Elle posa son regard sur les mains de Gabriel et se mit à parler comme si elles lui soufflaient les mots qu'il fallait dire.

— Tu as peut-être raison; de plus en plus, au fil des années, tu t'es éloigné du moulin. Les lots à bois, l'érablière, peut-être est-ce là que tu as mis tous tes intérêts, toute ton attention. Probablement, aussi, que les choses se sont faites tranquillement, sans même que tu t'en rendes compte.

Andrée fit une pause et le regard vague de Gabriel l'encouragea à poursuivre.

— Pourquoi ne pourrais-tu pas aspirer à autre chose? Et même, je vais te dire, je crois, moi, que tu trouves beaucoup plus de satisfaction à exploiter tes forêts que lorsque tu travailles au moulin. Tiens, la dernière fois que tu y es allé, tu te morfondais à faire tes journées sans mettre le nez dehors. Tu te rappelles, je ne sais pas combien de fois tu m'as dit que tu t'ennuyais de tes arbres et de tes bûcherons. Je crois que tu n'es pas tellement heureux quand tu travailles au moulin, as-tu pensé à ça?

Gabriel l'avait écoutée et ce qu'elle disait lui faisait du bien. Mais il savait tout cela, c'était clair dans sa tête. Il y avait autre chose, quelque chose de bien plus lourd...

— Oui, je m'ennuie quand je suis au moulin, ça, je le sais. Ce que je voudrais comprendre, c'est pourquoi j'ai laissé le père entretenir de faux espoirs à ce sujet. Je lui ai toujours laissé croire que je reprendrais son affaire un jour. C'est peut-être ça qui me fait mal, au fond. J'ai l'impression de ne pas avoir été honnête avec lui. Et envers moi-même, il faut bien me l'avouer.

— Tu sais, Gabriel, il y a des choses qui sont difficiles à faire. Pour ton père, le moulin, c'était toute sa vie et il voyait en toi son seul successeur, le seul digne de ce titre. Si, jusqu'à présent, tu l'as laissé rêver, c'est probablement parce que vous n'avez jamais eu l'occasion d'en discuter sérieusement tous les deux.

Gabriel avait tourné la tête vers la fenêtre. La lumière lui faisait plisser les yeux, mais il regardait de l'autre côté du matin, là où ses pensées avaient dressé cet horizon ombragé qu'Andrée cherchait à connaître.

— Gabriel, est-ce que ça va?

Lentement, son regard glissa jusqu'à elle, un regard qui l'effleurait à peine, prisonnier d'un lointain ailleurs. À voir ce visage figé, comme si la vie, la lumière et le sang s'en étaient enfuis, Andrée ressentit une peur qui la frappa en pleine poitrine. Et ces yeux! Elle sentait entre elle et lui une si grande distance! À quoi pensait-il, à l'autre bout des mots qui n'étaient pas dits, des images l'isolant dans un silence dont elle ne connaissait pas les couleurs sombres?

Elle se leva et vint s'accroupir à ses pieds. Elle voulait parler, dire quelque chose qui puisse ramener dans les yeux de Gabriel la lumière intacte du jour. Mais elle ne parvenait pas à trouver les mots. Alors, elle posa juste ses mains sur ses cuisses, tout doucement, comme elle l'aurait fait pour rejoindre un enfant en train de se débattre dans un mauvais rêve.

Peu à peu, l'espace et le temps revinrent à lui. Andrée était à ses pieds; il se pencha et prit son visage délicat entre ses mains.

— Gabriel, tu me fais peur, dis-moi quelque chose.

Elle se laissa faire et il la prit comme une enfant. Andrée s'accrocha à son cou, le serrant de toutes ses forces tremblantes. Il faisait bercer la chaise et elle avait l'impression qu'ils étaient sur une mer d'orage, mais, en même temps, la chaleur si familière du corps de Gabriel la rassurait. Gabriel aussi sentait l'apaisement qui s'installait; il se mit à caresser les cheveux d'Andrée et sa voix grave prit le ton des confidences.

— Il y a longtemps, bien longtemps que je sais ce que je n'ai jamais eu le courage de dire ni même de penser avant ce matin. J'ai laissé mon père rêver; je l'ai laissé croire que je prendrais sa relève. Je l'ai fait pour ne pas lui faire mal, parce que j'avais trop peur de sa déception. Je ne voulais pas qu'il m'en veuille, je voulais qu'il soit fier de moi, son seul fils, celui dont il a dit si souvent tant de bien. Celui qui lui ressemble tant... J'ai été lâche, c'est de la lâcheté que de taire ce que l'on sait être vrai, de laisser le silence parler à sa place quand il y a tant à démentir. Et sais-tu ce qui me chagrine le plus? C'est que j'ai toujours cru avoir hérité de son courage. Son «maudit» courage, celui qu'il porte bien droit devant quand tout va de travers. Tiens, par exemple, l'année du feu... Je le vois encore se retrousser les manches au milieu des ruines fumantes, chercher par où commencer pour rebâtir son sacré moulin. Puis, les années de récession: pas de travail, plus une seule maison à construire à cinquante milles à la ronde. Et les créanciers qui crient pour avoir leur dû. Et la cour à bois à moitié vide. Tu sais ce qu'il a fait? Il a hypothéqué la propriété, il a payé les créanciers les plus menaçants et il est parti aux États-Unis, revenant deux jours plus tard avec un contrat en poche et la rage au fond du cœur. Sur une feuille, il y avait les commandes des Américains et sur une autre, que ma mère lisait en pleurant, une promesse d'«exclusivité» qui allait lui lier les mains pour les dix années à venir.

Gabriel reprit son souffle; il avait parlé vite et ce flot de paroles avait coulé de sa bouche comme des larmes qu'on ne peut plus contenir. C'était à la fois de la délivrance et de l'amertume, le bon et le mauvais du fruit et des ronces. Un long monologue avec lui-même.

— Ce courage-là, je ne l'ai jamais eu. Je l'ai bien souhaité pourtant. Je ne sais pas combien de mensonges j'ai inventé pour faire semblant de l'avoir. Petit à petit, je me rendais bien compte que je n'étais pas fait comme lui, mais je me disais que ça allait venir tout seul, qu'un beau jour je finirais par avoir le goût du combat, l'ivresse des affaires. Le plaisir de vaincre et de recommencer. Je ne suis pas fait de ce bois-là... Tiens, c'est drôle, on en revient toujours au bois: lui il le débite, l'équarrit et moi, je le regarde pousser, je lui donne à boire et à manger quand il en manque, le coupe pour que la roue tourne, pour que la nature se renouvelle. L'arbre abattu laisse un grand trou, ce qui permet aux petits de grandir, de se nourrir d'un nouveau soleil et de la pourriture de celui qui avait mûri à leur côté. C'est de cela dont je suis fait, d'un peu de solitude et d'air. J'aime avoir des arbres à compter, à mesurer dans la liberté du vent, à observer dans l'épanouissement que leur coud la générosité des saisons; j'aime voir des hommes unis dans le même effort, appuyant l'épaule à la charge, les bras à la cognée et se rejoignant dans les bruits et les silences de la forêt. J'ai pris conscience de cela, de nos différences, ce matin seulement. Et, plus j'y pense, plus je réalise que c'est probablement ce qui nous a rapprochés l'un de l'autre.

Ils restèrent quelque temps encore à se bercer doucement dans la cuisine silencieuse. Gabriel était soulagé. Tout ce qu'il avait pensé et dit lui pesait lourdement sur la conscience et, s'il n'avait jamais voulu en parler ni même se l'avouer, il se rendait bien compte ce matin du mal qu'il s'était fait en fuyant. Andrée alla s'habiller et, comme il était presque huit heures, décida d'aller faire son train: elle reviendrait déjeuner plus tard. Gabriel, pendant ce temps, irait voir Léo Dumont pour organiser les coupes de la semaine. Il la regarda partir, dans ses yeux verts un brin d'inquiétude et, sur le pas de la porte, une hésitation qui semblait s'excuser de le laisser seul avec ses pensées. Gabriel lui sourit et fit un petit geste de la main pour la rassurer.

Quand il fut seul dans la grande pièce, il resta un long moment debout à la fenêtre et il décida que, dorénavant, tout, dans sa tête et dans sa vie, devait avoir la clarté de cette lumière que le soleil déployait dans les bras du matin.

La maison de Léo Dumont était un peu à l'écart du village. On appelait ce rang la route du Domaine parce qu'il y avait eu, autrefois, un riche seigneur qui s'y était fait construire une résidence d'été. Gabriel devait avoir cinq ou six ans la première fois qu'on lui avait raconté les aventures et les malheurs de ce seigneur, qu'on lui avait parlé de ce château de Saint-Christophe. Cette histoire l'avait fasciné et, souvent, il avait demandé qu'on la lui redise encore. Il écoutait sans se lasser sa mère, le père Hélie ou tout un chacun lui raconter à leur manière et selon leurs souvenirs le drame de cette maison et de ses habitants. Gabriel trouvait cette histoire insensée et il s'était toujours demandé si les gens du village, dans leur soif de scandale, n'avaient pas un peu exagéré.

L'histoire n'avait rien de banal: un grand seigneur de l'époque avait choisi Saint-Christophe comme lieu de sa résidence secondaire. Pour ce faire, il s'était porté acquéreur de tous les lots partant du village vers le nord, jusqu'aux bornes du comté. Il s'agissait d'un site entièrement boisé, exception faite de quelques plaines spongieuses dans les parties plus basses. Il avait engagé des bûcherons pour tracer une route et défricher un terrain, choisissant un coteau où les érables et les bouleaux se partageaient le vent d'ouest. La maison, une fois bâtie, était ce que le village avait vu de plus beau, et il ne se passait pas un dimanche sans que les gens des environs n'attellent leurs voitures pour montrer à leurs enfants ou à la parenté en visite le fabuleux château du seigneur. Puis, des rumeurs s'étaient mises à circuler.

De maison en maison, du magasin général jusqu'au perron de l'église, on chuchotait à la ronde que le seigneur recevait chez lui des gens aux allures étranges et suspectes. Même qu'on avait vu arriver certaines personnes au beau milieu de la nuit et partir la nuit suivante. Dès lors, on s'était mis à soupçonner le seigneur de tremper dans quelque affaire louche. Les servantes étaient questionnées en vain, puisque le maître se dispensait de leurs services chaque fois que des visites nocturnes se produisaient. Le maire avait eu vent de la chose, mais il n'avait rien à reprocher à ce citoyen qui payait bien ses taxes, ne contrevenait pas aux lois municipales et, de plus, projetait d'ouvrir une tannerie au village. Quant au curé, qu'aurait-il eu à redire de l'une de ses ouailles qui faisait des dons substantiels à l'église et allait à la messe tous les dimanches lorsqu'il se trouvait à Saint-Christophe.

Un beau matin d'hiver, alors qu'on «spéculait» à qui mieux mieux dans le village, une jeune servante était revenue en courant de la route du Domaine, criant comme une perdue que le château était plein de morts et de sang. Ceux qui pouvaient se déplacer s'y étaient précipités et ils y avaient vu un spectacle horrible: tous les gens de la maison, le seigneur, sa femme, le secrétaire de monsieur et des hommes que nul n'avait jamais vus gisaient çà et là dans le château, tous frappés de mort violente. On avait fait venir la police de la ville puis les inspecteurs fédéraux, qui avaient découvert que parmi les cadavres se trouvaient des gens de ce qu'on appelait le crime organisé. Plus tard, on avait appris que le riche seigneur était un adepte du jeu et qu'il tenait des tripots clandestins, ce qui n'avait pas plu à un autre clan de gangsters s'adonnant au même type d'activités. Le règlement de compte avait été d'une rare violence et personne n'en était sorti vivant.

Gabriel ralentit devant les ruines du domaine: un pan de mur et les assises de pierre étaient les seuls vestiges restants. Malgré tout, l'endroit avait gardé une certaine allure grandiose. Une rangée de pins partait du chemin et s'élançait jusqu'au coteau: des arbres soigneusement plantés, en ligne droite, et qui avaient poussé jusqu'à faire deux fois le tour d'un bras d'homme. Ce qui, jadis, devait être une immense pelouse en été était devenu un champ de foin, et le fermier qui le cultivait entretenait aussi le sentier qui avait servi de chemin menant au château. Sur le coteau à moitié boisé, les ruines de pierre s'appuyaient sur le mur de la forêt laissée à elle-même. Gabriel avait imaginé cette maison mille fois dans sa tête; il la voyait là, bien assise sur le promontoire, trônant sur les alentours. Il y était attaché depuis toujours. Tout jeune, il venait à vélo avec ses copains y jouer à la chasse au trésor et tous étaient convaincus qu'il s'en trouvait un quelque part dans les environs. Puis, quand il avait eu l'âge de faire des projets d'avenir, son premier rêve avait été d'acquérir le terrain pour y construire une maison, son château à lui, qu'il érigerait de ses mains avec les richesses du bois, la persévérance des pierres, sous l'œil précieux de son grand-père. Les rêves passent et laissent des traces. Gabriel pensa que, toujours, il garderait cet endroit dans un recoin de son cœur comme le trait maladroit d'un premier baiser dans le cahier des souvenirs.

Léo était chez lui, sa vieille Plymouth blanche bien astiquée et brillante comme un bijou trônait fièrement dans la cour nue où la petite maison en bardeaux bruns s'effaçait de modestie. Assis à la cuisine, il attendait Gabriel, les coudes bien appuyés sur la table et son vieux chat sur les genoux. Il avait hâte de revoir le jeune homme, de l'écouter raconter son voyage à la ville, énumérer les dernières trouvailles et bizarreries des citadins. Gabriel frappa deux coups secs à la porte et entra.

— Assis-toé, mon jeune. Prends une chaise, pis assis-toé.

La maison datait d'une quarantaine d'années et l'intérieur avait besoin d'un bon coup de pinceau. Léo était vieux garçon et il ne voyait probablement pas la nécessité de rafraîchir les murs de son nid, où les couleurs s'éteignaient peu à peu et vieillissaient avec lui.

— Pis, ce voyage... Raconte-moé ça.

Gabriel lui brossa un tableau: Montréal, faisant «la pute» au centre-ville, et qui s'étrangle avec ses autoroutes, ses boulevards surchargés. Puis Toronto, propre et froide, cherchant le ciel, voulant le toucher de ses buildings immenses et rectilignes. Les gens qui changent à peine d'une ville à l'autre. La même indifférence, les mêmes regards qui ne se voient pas.

Léo se mit à parler à son tour. Il avait une sœur qui demeurait à Montréal; il y était allé une fois, cela devait bien remonter à une dizaine d'années maintenant. Jamais, disait-il à Gabriel, il n'oublierait les rires d'une troupe d'enfants et le regard mauvais des adultes lorsque, au beau milieu d'un parking, il s'était accroupi pour parler à un oiseau. C'était un vulgaire moineau, mais cet oiseau lui avait semblé malade, il était passé à quelques pieds de lui et il ne s'était même pas envolé. Pour Léo, un oiseau qui ne fuit pas à l'approche d'un homme est un oiseau malade. Aussi, s'était-il mis à genoux pour l'examiner et tenter de lui venir en aide. Il lui avait parlé tout doucement d'abord, la petite bête le regardant de ses yeux agrandis. Tout en continuant de lui parler, il avait approché les mains, très lentement pour ne pas l'effrayer. Il était à quelques pouces de l'oiseau quand celui-ci avait décidé de s'envoler pour aller se percher sur une poubelle au fond du parking. Léo n'avait rien compris à ce manège: le moineau semblait en pleine forme, le vol sûr, le coup d'aile drôlement agile. Il s'était dit qu'il valait mieux ne pas insister, surtout qu'une petite troupe s'était rassemblée et l'encerclait. Il avait bien senti qu'on riait de lui, le prenant pour un fou.

— Tu vois, mon jeune, quand on passe d'la campagne à la ville, y a ben des choses qui changent. Ce jour-là, j'ai appris qu'y a deux sortes d'oiseaux: les oiseaux d'icitte, pis ceux de la ville. J'avais toujours pensé que les oiseaux, c'était farouche de nature. Mais la ville, ça réussit à changer même ces affaires-là. Ça fait que tu t'imagines c'que ça peut faire sur la nature des hommes...

Ils discutèrent encore un moment de ces différences, se dirent tous deux qu'ils ne pourraient survivre longtemps en ville et que ce constat leur faisait apprécier davantage les gens simples de la campagne, les horizons qui voyagent avec les saisons.

— Pis, mon jeune, on a-tu ben du bois à «sortir» cette semaine?

Avec le redoux qui s'en venait, les coupes avaient diminué. Il ne restait que deux équipes de bûcherons au travail et, bientôt, le printemps dégèlerait la terre, transformant les routes de «bûchage» en bourbier. La forêt pousserait les hommes dehors pour continuer à grandir en silence.

La lumière gagnait du terrain. De soir en soir, on pouvait en percevoir la progression. La journée avait été douce et cette chaleur, ce soleil qui touchent la peau de nouveau, c'était comme un baume sur une vieille blessure, sur la croûte indigente de l'hiver. Au bout de la saison blanche, le printemps ouvrait les yeux et on osait y croire encore une fois. Les vieux humaient le fond de l'air, scrutaient le ciel et l'immobilité de la mer de neige. Gabriel connaissait ces gestes, les apprenait encore, un à un, avec la patience des secrets à acquérir.

L'érablière continuait de l'habiter. Ils étaient tous en lui, ces arbres dont il irait cueillir la sève, comme le jardinier penché avec amour sur ses roses éclatées à l'aube. Il tenait cet amour de son grand-père, pépère Blanchet. Un petit homme frêle dont le regard brûlait d'un feu étrange, d'une lueur qui ne s'éteignait jamais et, comme le disait Gabriel, qu'il avait dû amener avec lui de l'autre côté de la vie. Pépère Blanchet aimait les arbres, pour le bois et la patience, car il était un homme de patience. Rien de ce qu'il entreprenait n'avait une finalité banale. Il pouvait mettre tout un hiver à fabriquer un meuble, à lui donner le souffle et la beauté qui erraient entre son âme et le bout de ses doigts. C'était une table ou un lit mais, quel qu'il fût, le meuble donnait à lire le bois. Des nœuds, des rosaces, des gerbes ou des pétales: l'essence parlait, lourde de toutes sortes de rondeurs, comme d'autant de mots qu'il avait voulu lui insuffler. Il disait à Gabriel: «Si tu aimes le bois, si tu le respectes, il te donnera au centuple et t'obéira avec bonheur.»

Pépère avait bâti et exploité le moulin à scie. Le moulin, c'était le pain sur la table, la réponse aux nécessités. S'il n'avait pas eu douze bouches à nourrir, il eût été l'ébéniste, l'artiste qui dormaient en lui, avec mille rêves douloureux prisonniers du quotidien. Piètre menuisier, Gabriel n'avait pas hérité de son talent, celui qui donne forme et beauté de l'intérieur. Et il n'en avait que plus d'admiration pour le vieil homme qui, patiemment et sans rien attendre en retour, l'avait initié à son amour des arbres et du bois.

Il arriva à l'érablière au mourant du jour et gara son auto en bordure du chemin de terre battue qui s'enfonçait dans la forêt. Dès l'abord, de grandes épinettes noires scindaient le monde en deux: d'un côté la route, les hommes et les choses, qui sont parfois si compliqués et, de l'autre, le silence, cet espace où, souvent, il venait s'écouter penser. Les conifères, droits et figés dans le temps, montaient la garde sur une centaine de perches, sentinelles de l'érablière juchée sur un coteau à la pente douce. Passé cette ceinture d'épinettes serrées, le ciel, de nouveau, se mêlait aux arbres. Comme de grandes mains ouvertes, les érables tendaient leur solitude à la voûte de nuages.

Gabriel ralentit le pas et s'arrêta pour admirer ce qui, pour la millième fois, s'offrait à lui. Chaque fois qu'il avait marché vers ces érables, monté le petit chemin jusqu'aux bâtiments, quelque chose s'était ouvert en lui. Il avait l'impression de se déshabiller de son corps, comme si ses pensées et son esprit avaient traversé la barrière de chair et d'os pour l'envelopper et devenir sa réalité première. Il se remit en route de son pas nouveau.

Même si les nuages occupaient le ciel en son entier,

le coucher du jour en adoucissait la grisaille. On aurait dit que le soleil, avant de quitter les lieux, les avait saupoudrés d'une fine poussière rose et crème. Et c'était apaisant comme la chaleur d'une vieille couverture de laine duveteuse.

Il arriva au camp avant les ombres. Portant son regard aux alentours, il en jugea la marche. Elles étaient à la courbe du grand chemin, celui qui passe au cœur de l'érablière, puis tourne pour revenir par le flanc sud. Les ombres ont le pas d'un enfant qui marche, une branche à la main. Ce n'est pas une allure qui se mesure... L'enfant trottine dans le souffle du vent, s'attarde à un arbre qui lui tend les bras, invente une mer d'une flaque d'eau et, avec un bout de bois, trace de beaux chemins pour épier les fourmis. Ainsi font les ombres. Gabriel avait rendez-vous avec elles. Il se dépêcha d'entrer dans le camp pour allumer le poêle et il repartit aussitôt.

Il s'engagea sur le sentier. Quand il arriva près de la grosse roche plate, non loin du cours d'eau, elles étaient déjà là. Tout comme la brume qui, accrochée aux aulnes et aux broussailles, enguirlandait le ruisseau. Amants diaphanes, ombres et brume se retrouvaient à la tombée de la nuit et, dans les bras l'un de l'autre, on les voyait rouler, se coucher dans la ravine et s'aimer sans bruit sous la lumière du crépuscule.

Près de ce ruisseau et de chaque côté du chemin trônaient deux hêtres continuellement éveillés par les oiseaux. «Les arbres aux oiseaux», ainsi qu'il les nommait, avaient ce soir-là une paix d'avant les orages. Rien n'y bougeait alors que d'habitude, à la venue de l'homme, ils se criaient des deux côtés du chemin que celui qui marche debout entrait dans leur territoire.

Gabriel venait souvent s'asseoir sur cette roche et il avait remarqué que l'énervement des oiseaux diminuait à mesure qu'il réussissait à se tenir immobile. Après un certain temps, ils semblaient l'oublier et reprenaient leur va-et-vient sans plus se soucier de cette chose qui voulait prendre racine sur une roche.

Mais, ce soir-là, rien ne faisait frémir les arbres. Pas de bruits d'ailes, pas le moindre petit jacassement. Où étaient-ils donc partis? Avaient-ils changé de demeure? Gabriel scruta les branches longtemps et ressentit son impuissance de ne pas savoir. La nature n'était jamais conquise: tous ces mystères sur lesquels il butait, tous ces secrets ressemblant à ce qui nous échappe au sujet de ceux que l'on aime aveuglément. Leur fragilité, leur avenir qu'on a fait nôtres comme nos propres incertitudes.

Au camp, Andrée avait brassé le feu et rajouté un quartier de bois. Ils avaient convenu de s'y rejoindre pour souper, un rendez-vous sans heure fixe. On se retrouverait au moment où l'un irait vers l'autre, indéniablement. Elle sortit les provisions de son sac à dos, un gros pain croûté, du fromage et du rôti froid. Gabriel était déjà arrivé, elle le savait parce qu'elle avait vu son auto sur le bord de la route, mais aussi parce que, depuis son retour de Toronto, c'est ici qu'il venait dès qu'il avait un peu de temps. Il appartenait aux arbres désormais, vivait au rythme des érables dont le cœur se dénouait sous les murmures du printemps. Il changeait comme eux, écoutait le vent charrier une rumeur de neige fondue, se plantait, fébrile, les pieds écartés et les mains sur les hanches, dans l'abondance du midi, pour sentir l'appel de la vie venir à lui depuis les desseins secrets de l'horizon. Ses yeux, son regard changeaient aussi. Il guettait l'invisible, tout épris des images forgées de souvenirs et d'instinct. Quand elle marchait derrière lui, Andrée avait du mal à le reconnaître. Son allure, si énergique et légère d'habitude, faisait place à un pas lent, le pas d'un homme plein d'âge traversant sans hâte le tableau d'une saison aux détails familiers. Toutes ces transformations, la façon dont le printemps, au lieu de passer sous ses yeux, faisait sa route à travers lui, marquaient les jours à venir d'une solitude qu'Andrée partageait avec l'ennuyance. Elle savait qu'il lui reviendrait, oh oui! il reviendrait bien, quand la fièvre serait tombée, que le recommencement aurait touché la tête des arbres.

C'est ici que tout avait commencé. En y repensant, Andrée se rendait compte que les six dernières années de son existence avaient effacé toutes les traces de ce qu'elle avait pu vivre en tant que femme avant Gabriel. Elle avait eu des amis, des liaisons. Les noms et les visages étaient là, dans sa tête, mais, quand elle cherchait à revivre une passion ou le souvenir de son corps recevant et donnant, elle ne trouvait rien. Rien qu'un vide, qui lui laissait l'impression que quelqu'un d'autre avait vécu sa vie, repartant un beau jour en emportant l'essence de ce temps enfui.

Gabriel, la première fois qu'elle l'avait vu, l'avait tout de suite intriguée. Il était là, sur le perron du camp, et graissait un moule de bois pour les pains de sucre. À leur venue – son père l'accompagnait – il avait levé la tête et souri. Andrée se souvint que le soleil jouait dans l'ambre de ses cheveux bouclés de la même façon qu'il s'amusait à éclabousser les branches nues. Pendant que Philippe Guilbert se présentait, disant qu'il avait un chalet dans le rang de la Rivière, Andrée ne quittait pas Gabriel des yeux et écoutait résonner dans l'air frais cette voix à la fois profonde et rieuse qui leur demandait: «Quel bon vent vous amène à ma cabane à sucre?» Philippe avait alors expliqué qu'en s'informant au village pour engager un bûcheron, on lui avait dit d'aller voir Gabriel Blanchet, «le p'tit gars du bois» et, assurément, le meilleur bûcheron du coin. Les travaux à effectuer n'étaient pas de grande envergure: simplement une coupe d'éclaircie dans un petit bosquet, derrière son chalet. Mais Philippe voulait quelqu'un d'expérience, quelqu'un qui reconnût le sain du malade, l'arbre nécessaire du nuisible, pour permettre à son petit terrain boisé de croître en santé et en beauté. Gabriel avait accepté et Andrée, à partir de cet instant, avait eu du mal à soutenir son regard. Déjà, elle avait peur qu'il lise en elle ce qu'elle ne parvenait pas encore à bien définir. Cela la chavirait. Elle n'avait jamais ressenti cette chaleur qui monte du ventre et vient s'étaler dans le cou comme une fourrure. Elle voulait être là, toujours, dans ce soleil plein, près de cet homme qu'elle épiait avec un bonheur insensé. Elle cherchait ses yeux, déroutée d'y voir sa propre folie, un désir qui, lentement, allumait des feux dans l'obscurité de sa chair.

Andrée avait suivi les deux hommes à travers l'érablière et l'après-midi avait filé sans qu'elle le voie. Gabriel expliquait comment il faisait les sucres, revenait à la bouillotte pour nourrir le feu ou couler le sirop quand le thermomètre indiquait qu'il était à point. Parfois, Andrée posait une question; il s'approchait alors d'elle, si près, lui semblait-il, qu'elle pouvait sentir la chaleur de son souffle et les parfums du bois lui caresser le visage. Il parlait sans retenue, s'animait pour dire toute l'abondance de ce que les arbres lui donnaient et, avec ses mains, il dessinait son bonheur d'être au milieu de ce jardin. Philippe, en fervent défenseur de la nature et, de surcroît, ancien professeur de botanique, s'émerveillait de voir tant d'humilité et de respect dans les gestes et les paroles de ce jeune homme qui leur faisait découvrir son paradis. Andrée, elle, en buvait la passion comme si elle sortait d'un désert.

Dans les jours qui avaient suivi, elle avait senti pour la première fois cet égarement de l'attente qui enveloppe l'esprit d'une fébrilité tranquille et laisse le corps insensible, vivotant dans un vide nourri d'espoir. Elle ressentait l'éclatement du temps, l'anéantissement des espaces; elle appelait Gabriel, le faisait venir à elle sans cesse et cette présence enfermée derrière son front lui était aussi vraie que sa propre existence.

Elle l'avait revu. Tous les rêves qu'elle avait faits de lui devinrent inquiétude. Cet amour qui lui courait sur tout le corps, elle ne pouvait le taire et son emprise lui faisait déjà mal.

Andrée ferma les yeux pour revivre l'instant de leur premier abandon. Gabriel l'avait invitée à descendre la rivière en canot et, sur la grève où ils s'étaient arrêtés pour se reposer, elle avait eu le pressentiment de leurs corps se cherchant, de l'amour qui parlerait. Dans le silence des arbres recueillis faisant cortège au passage de l'eau, il avait posé une main sur son épaule, l'ébauche d'un effleurement qu'elle avait tant de fois emporté dans ses rêves.

De ce qui s'était passé par la suite, elle gardait peu de souvenirs; ils s'étaient embrassés, là, debout, pendant que le temps s'immobilisait pour les attendre et n'être plus jamais le même. Et il y avait eu ce vertige que Gabriel déployait tout autour d'elle. Elle l'avait goûté en pensant qu'un peu de vent, une rafale de lumière de plus suffiraient pour qu'elle en meure.

Des pas sur la galerie la tirèrent de sa rêverie. Pendant qu'elle s'était couchée dans la douceur du passé, la nuit s'était avancée avec ses souliers d'ombre. Gabriel ouvrit la porte et la trouva pelotonnée dans un fauteuil près du poêle. À grands gestes larges, il enleva sa veste. Tout l'air du camp en fut secoué et la fraîcheur du soir prit sa place parmi les meubles.

— Est-ce que je fais de la lumière ou si tu aimes mieux rester dans le noir?

Au camp, ils passaient souvent des veillées entières dans l'obscurité, sachant tous deux que la forêt n'est visible que si l'on partage la nuit avec elle, que tout ce que l'on peut voir à la lumière d'une lampe, c'est un mur sombre. Et les arbres, interdits, ont l'absence douloureuse du néant.

Andrée lui répondit qu'elle préférait rester dans le noir et qu'on allumerait bien assez tôt pour souper.

D'une main sûre, tout en saisissant le tisonnier, il fit danser la porte du poêle sur ses gonds. La chaleur de la braise prit un envol d'oiseau malade fait de coups d'ailes malhabiles et de gestes inquiets. Elle vint s'affoler sur le visage de Gabriel. Il pensa qu'il était comme elle, brûlant de vivre et incapable de retenir sa soif d'air. La solitude des arbres sans oiseau, dans la forêt, l'avait incité à penser que, s'il lui fallait mourir, peut-être devait-il le faire tout de suite, alors qu'il avait encore le pouvoir de choisir le lieu, le jour et la douleur de sa mort. Mais il était pareil à une bûche ardente: il ne connaissait que le courage de vivre.

Quelques petits coups de tisonnier et le feu s'excita; il choisit un quartier d'érable bien lourd, de ceux qui donnent une chaleur longue et patiente. Dehors, les arbres s'étaient approchés. Ils encerclaient le camp à la faveur de la nuit rampante, et chacun, du dehors et du dedans, regardait l'immobilité de l'autre bercée par le vent ou les rêves. La neige éclairait encore un peu mais, depuis quelques jours, elle avait perdu le chemin des étoiles. Fatiguée, elle n'en gardait plus qu'un vague souvenir. Quelque part entre un ciel indécis et l'écartèlement muet des racines, Dieu préparait les outils de son établi. Gabriel avait cru longtemps, quand il était enfant, à cette belle histoire que lui racontait Pépère Blanchet chaque printemps. Il le voyait, ce beau roi, sa longue robe blanche flottant autour de lui, sortir ses outils et les aligner sur un nuage: il faut frotter celui-là, aiguiser le filet de cette hache. Puis il se mettait à la tâche. Casser la glace des cours d'eau d'abord, ouvrir la route des rivières jusqu'au fleuve et s'arrêter pour avoir pitié de l'homme qui, depuis toujours, bâtit avec entêtement sa maison sur le chemin des eaux libérées. D'un pan de sa grande manche immaculée, il s'essuyait le front et s'attaquait ensuite au sommeil de l'hiver; il remplissait le fourneau du soleil jusqu'à ce que les insectes, les volatiles et les animaux à naître frémissent de bonheur. Quand il avait bien travaillé, quand la terre et le ciel avaient retrouvé le goût l'un de l'autre, le cœur des érables recevait enfin la vie. Et pépère disait que chaque fois qu'il se penchait pour ramasser l'eau d'érable, c'était une leçon d'humilité car, c'était la sueur du Seigneur qu'il cueillait au pied des arbres. Gabriel, avec sa raison d'enfant, trouvait juste que la sueur du Bon Dieu fût sucrée.

Le printemps, cette année-là, accouchait difficilement de ses richesses. Un redoux en février, la neige et le froid têtu de mars: le calendrier effeuillait les caprices et les mensonges. Dès son retour de Toronto, Gabriel avait entaillé les érables avec Léo. «Le printemps me suit, lui avait-il dit. Je l'ai vu à la ville, il arrive.» Il y avait sept jours de cela; les chaudières et leur chalumeau gris de sécheresse, n'en finissaient plus de chuchoter le vent aux arbres. Pourtant, Gabriel ne s'inquiétait pas; depuis qu'il faisait les sucres et d'aussi loin qu'il pouvait se souvenir, le printemps restait un mystère, jamais pareil, grignotant l'attente ou éclatant de sa plus belle prestance; mais, quel qu'il pût être, il restait toujours fidèle aux vieilles mains de l'hiver, qui l'appelaient pour mourir dignement.

— Et si on restait à coucher?

La chaleur avait rejoint le nid de son fauteuil; il y faisait doux comme dans un lit habité. Elle aimait dormir à la cabane, c'était comme prendre des vacances. Ils couchaient dans le petit lit de fer au fond de la pièce et, le matin, le soleil jouait à la marelle sur le vieux plancher de bois. C'était le seul endroit où Gabriel pouvait flâner avant de se lever. Les minutes paresseuses, où l'on choisit son rêve avant de s'assoupir de nouveau; le corps de l'autre, vers lequel on dérive sans cesse entre les tourbillons du sommeil; les caresses molles sous le murmure des couvertures: tant de graines de bonheur à semer dans la forêt féconde.

Le sourire de Gabriel lui dit qu'ils resteraient pour dormir au nid du printemps. Andrée dénicha des chandelles et en alluma une qui, du centre de la table, les maria dans son étreinte suave tout au long du souper.

— Les chevreuils sortent des ravages: c'est «pisté» partout dans la sucrerie.

Gabriel aimait les chevreuils depuis toujours. Ils avaient hanté sa jeunesse peuplée de rencontres fortuites où le hasard, l'éclair d'un instant, les mettait sur le même sentier que lui. Adolescent, il avait voulu faire comme les autres et armait le fusil de son père à la pointe du premier jour de chasse. Les bois craquaient d'hommes animés de desseins de mort et l'automne tremblait en dispersant bruits et odeurs. Il avait été de ceux-là, tapi sur une plate-forme dans un arbre, le souffle brisé par une écoute trop longue, le regard douloureux, usé sur des lieux immobiles. Puis, dans le franc du matin, après deux longues heures de guet, il avait vu l'animal. Son geste premier aurait dû être d'épauler, de le mettre dans l'œil de la mort et d'appuyer sur la détente. On lui avait dit qu'avoir un chevreuil dans sa mire lui ferait comprendre sa force et assouvirait sa faim de puissance. On lui avait dit qu'il pouvait en être malade d'excitation et d'ivresse. L'instinct n'était jamais venu à ses mains et l'arme était restée sur ses cuisses, tout juste pesante d'inutilité.

Ce qu'il avait vu dans la lumière de ce matin sans équivoque, c'était l'image de lui-même, un animal inapprivoisable, fort et fragile à la fois, intelligent jusqu'aux limites de la faim, jusqu'aux frontières de l'appel à l'amour.

Le chevreuil était passé devant sa cache sans le voir ni le sentir, puis il avait goûté les pommes déposées à son intention au pied d'une épinette maigre. Gabriel retenait son souffle, essayait de l'accorder à l'haleine du vent qui fraîchissait dans les arbres. Entre chaque bouchée, l'animal redressait la tête, agitait les oreilles pour entendre l'invisible et, quand il flairait le fond de l'air, Gabriel remerciait le vent de charrier son odeur derrière lui. Il eut bientôt mangé à sa faim et avait fait demi-tour pour revenir sur ses pas. C'était étrange, cette façon de se déplacer sans bruit, là où n'importe quel homme aurait bousculé le silence des feuilles jusqu'aux faîtes des arbres et bien plus loin tout autour. L'animal, lui, s'en allait, quatre pas plutôt que deux, comme si le tapis de feuilles avait été un nuage.

Avant de le perdre de vue, Gabriel avait voulu le graver dans sa mémoire, écrire cette image, la grâce de cette liberté et l'enchantement qu'il avait éprouvé à se reconnaître dans la bête. Alors que le chevreuil allait pénétrer dans un bosquet de petits sapins, Gabriel en avait profité pour se mettre debout. C'est à peine si le plancher de la plate-forme en avait révélé le mouvement, mais le bruit dut frapper le nid tendre des oreilles du chevreuil comme un coup de tonnerre qui tombe sur un arbre endormi. Tout son corps avait frémi en même temps qu'il avait arqué ses muscles pour la fuite et Gabriel l'avait vu, en deux bonds majestueux, franchir les limites de son regard sans se retourner.

Il n'avait jamais plus chassé le chevreuil. Souvent, il partait sur sa piste et, chaque fois qu'il entrait dans une forêt, l'espoir d'en apercevoir un affinait ses sens. Il y avait eu ce soir de mai où Andrée avait connu, elle aussi, le bonheur d'épier la bête. Ils avaient soupé au village chez les parents de Gabriel et, avant de partir, celui-ci lui avait dit: «Si on allait voir au p'tit champ, il me semble que c'est un bon soir pour le chevreuil.» Ils étaient partis tous les deux en piquant à travers la cour à bois pour rejoindre le bord de la forêt. De là, ils avaient enfilé la rigole du grand champ et longé le bois. La terre faite s'étirait sur un bon arpent jusqu'à une plantation de pins et un passage sur la gauche menait au petit champ qui, à l'abri des regards, verdissait, blotti entre des espaces boisés. À mi-chemin, Gabriel s'était tu et avait ralenti le pas pour faire et écouter le silence. Il allait le pied haut, évitant de marcher sur les branches et contournant les pierres échouées dans la ravine de l'orée. Andrée le suivait, mettait ses pas dans les siens. Elle pouvait voir la nuque de Gabriel tendue vers ce but qu'il fallait rejoindre sans briser la mélodie du soleil descendant parmi les nuages bas. Un peu avant d'arriver au passage, il avait ralenti l'allure, ne marchant plus que par saccades: un pas, puis un autre et, entre chaque mouvement, la retenue du pied prêt à fouler le sol. Juste avant de déboucher sur le sentier menant au petit champ, il s'était soudainement arrêté, un bras devant lui et l'autre vers l'arrière, figé comme un chien d'arrêt devant le perdreau innocent. Une brèche dans les bois qui finissaient permettait de voir l'éclaircie du champ. Il y avait aperçu un chevreuil. Andrée le voyait, elle aussi, à travers les branches, broutant paisiblement. Gabriel avait avancé un pied et l'animal qui leur tournait le dos n'avait pas bronché. Alors, ils avaient marché encore avec tout le silence et la lenteur qu'ils pouvaient imposer à leur corps éveillé par l'excitation. Une fois arrivés aux abords du passage, ils s'étaient retrouvés en présence de trois chevreuils: un mâle, une femelle et son petit de l'année d'avant. Le mâle et la femelle pâturaient dans un coin du champ à proximité de la forêt, alors que le petit se trouvait à mi-chemin entre les adultes et le sentier. C'est lui qui les avait vus le premier et, bondissant vers les siens, il avait donné l'alerte. Gabriel et Andrée se tenaient immobiles, très près l'un de l'autre. Dans les secondes qui avaient suivi, l'air fut ébranlé par une grande inquiétude. La petite troupe avait fait quelques sauts en direction de la forêt et, juste avant d'y pénétrer, s'était arrêtée pour mesurer la menace. Plus rien ne bougeait... Andrée se permettait à peine de respirer, et le vent qui soufflait de face accentuait son absence.

C'est la femelle qui, la première, s'était avancée vers

eux. Le cou étiré, les narines dilatées, elle scrutait la brise qui lui cachait la race de ces inconnus. Le petit était venu la rejoindre et, bientôt, ils étaient tout près d'eux, à quelques dizaines de pieds de leur curiosité réciproque. C'est alors que le mâle, resté dans l'ombre rassurante des bois derrière lui, avait émis un premier cri, un grand cri de gorge, qui avait déchiré l'air de malentendus. Le petit avait fait volte-face en même temps et pris la fuite, mais la femelle, après quelques enjambées, s'était arrêtée net pour se retourner et toiser Gabriel et Andrée de son regard plein d'interrogation. Elle semblait vouloir revenir, approcher encore ces êtres sans odeur et immobiles qui la dévoraient des yeux. De l'orée du bois, le mâle avait crié de nouveau son inquiétude. La femelle avait tourné la tête vers lui et, avec une rapidité qui les avait laissés interdits, s'était dressée sur ses pattes de derrière, offrant une dernière image: le tableau saisissant d'une bête se cambrant dans le grand silence du monde, l'espace d'un instant, partagé.

***

La chandelle était à bout de souffle; il ne restait qu'un petit morceau de mèche s'enlisant dans la cire fondue. Gabriel avait trouvé le repas délicieux, lui qui, peu à peu, perdait l'appétit. Ce soir, il avait soupé comme il le faisait jadis, quand il avait «trimé dur» toute la journée. Et maintenant, il étirait ses jambes, étendait son corps, les omoplates bien appuyées sur le dossier de sa chaise, joignant les mains derrière la tête. Repu et légèrement engourdi, il regardait Andrée finir son assiette. Elle mangeait si lentement. Au début, la différence entre sa façon de manger et la sienne était si grande qu'il avait déjà vidé son assiette alors qu'elle commençait à peine. Il s'était peu à peu habitué à aller moins vite, à mastiquer les aliments avant de les avaler, à couper sa viande à chaque bouchée au lieu d'engloutir son steak mis en pièces à l'avance. Et, curieusement, il s'était mis à goûter, à déguster: les légumes et leurs sucs subtils; le pain tournant au gâteau dans la bouche; les viandes et leurs saveurs différentes, captives de la chaleur. Chez Gabriel, on avait toujours mangé vite, par habitude, mais aussi par obligation: au bout de la table, la dernière bouchée avalée, il y avait immanquablement une corvée à finir, un travail qui ne pouvait attendre. Toute cette hâte, maintenant, c'était fini. Il en avait mis, du temps, mais aujourd'hui il prenait tout naturellement ses repas avec lenteur et son travail n'en souffrait pas pour autant.

Ils firent de la lumière au moment de desservir la table et, après avoir fait la vaisselle, ils décidèrent d'aller faire un tour à la bouillotte. C'était un bâtiment long, avec un toit en tôle à la pente prononcée et de couleur orange. Au centre de la toiture, des battants de bois couvaient le «cœur» de la bouillotte: un évaporateur tout en acier inoxydable qui, le temps des sucres venu, exhalait les vapeurs parfumées d'érable vers le ciel. Gabriel fit glisser la porte sur le rail, sa dernière amélioration: un grand panneau coulissant, qui avait remplacé l'ancienne peu accueillante lorsque l'on rentre les bras chargés de bois.

Avec ses quatres grosses pattes de fonte noires, le grand poêle de la bouillotte ressemblait à un dragon endormi. La lumière du réverbère s'accrocha aux parois lisses de l'évaporateur posé sur la bête de feu. Gabriel s'avança et, de la main, en caressa le métal froid.

— Si pépère voyait ça, je pense qu'il n'y croirait pas.

Les sucres, pour le vieil homme, c'était un grand chaudron posé sur un feu de fortune. Beaucoup de travail, un peu de misère, des récoltes durement gagnées et le bonheur de la passion. Quand Gabriel avait acheté l'érablière, la bouillotte de pépère se résumait à un toit de vieilles planches, un âtre de briques et un énorme chaudron que le vieil homme astiquait, tard le soir, pour qu'il puisse toujours donner un sirop sans arrière-goût. Le camp était tout petit – une seule pièce – et on y dormait par terre, entre la table et le poêle. Gabriel avait commencé par bâtir la bouillotte, y avait installé un Champion, équipement cher à tout sucrier, comportant un grand fourneau de fonte et un évaporateur en acier inoxydable. Muni de vrais bacs à sucre, l'eau y courait, bouillonnait, crachait dans l'air ses vapeurs pour emprisonner le liquide doré du sirop prenant corps dans ses serpentins profonds.

La bouillotte terminée, Gabriel s'était attaqué au camp. Il avait ajouté une aile à la partie existante; c'était à la fois le salon et la chambre à coucher. De son pépère, il avait gardé un trait de style qui lui était tout à fait propre: l'abondance des fenêtres. Il n'y avait pas un pan de mur sans ouverture, et il ne s'agissait pas de petits carreaux: tous les murs donnaient littéralement sur l'extérieur. Lorsqu'il avait agrandi le camp, Gabriel avait réussi à dénicher d'immenses fenêtres de salon au marché aux puces; les petites croisées qui se trouvaient au bas et les grandes vitres arrondies par l'usure du temps leur donnaient un air vieillot.

— J'ai hâte qu'on allume, dit Andrée en frissonnant devant l'évaporateur.

Le premier feu prenait habituellement vie vers quatre heures de l'après-midi. Ce matin-là, Gabriel disait, le regard perdu dans l'effervescence du jour: «Aujourd'hui, ça va décoller.»

Et c'était ainsi: du soleil plein les cimes, juste ce qu'il faut de vent pour charrier le redoux et dans la forêt le murmure cristallin des gouttes tombant dans les chaudières. L'excitation gagnait tous et chacun. Léo et Gabriel vérifiaient le grand tonneau nécessaire au ramassage de l'eau d'érable et l'installaient, derrière le tracteur, sur «Le suisse». «Le suisse», quel drôle de nom pour un traîneau à patins, avait pensé Andrée la première fois qu'elle avait entendu ce nom. Puis, lorsqu'elle l'avait vu, équipé d'un énorme tonneau de bois et flanqué de quatre grandes chaudières accrochées à ses montants, elle s'était exclamée: «Ça ressemble à tout, sauf à un écureuil!» «C'est vrai, avait répondu Gabriel, mais que veux-tu! Ça fait tellement longtemps qu'on appelle ce genre de traîneau un suisse que même les vieux ne savent pas pourquoi.»

Armé de chaudières, on faisait ensuite la tournée des arbres pour ramasser l'eau sucrée. D'habitude, Léo prenait en charge le petit côté du chemin, appuyé sur la ceinture d'épinettes, tandis que Gabriel et Andrée parcouraient l'autre, le cœur de l'érablière. Les chaudières, une fois pleines, étaient très lourdes et Gabriel «chicanait» Andrée lorsqu'il la voyait trébucher entre les arbres. «Prends-en moins», lui disait-il, et, grimaçant un sourire, il ajoutait: «J'ai mal aux bras juste à te regarder aller.»

Puis le tracteur venait se garer devant la bouillotte. Aux commandes, Andrée coupait le moteur et restait un moment immobile à écouter le clapotis de l'eau d'érable dans le tonneau. Pour elle, les sucres commençaient là. Gabriel pomperait cette eau jusqu'au bassin, puis laisserait l'évaporateur s'emplir. Avec un morceau de «gazette», il allumerait le feu.

Alors, oui, alors, le ciel s'ouvrirait, secrètement, et le miracle du printemps pénétrerait la matière et les hommes.

— Je voulais te dire, Andrée. Cette année, je n'ai pas entaillé toute la sucrerie. Je me suis arrêté au ruisseau...

Après son retour de la ville, la fatigue ne l'avait plus quitté. Une drôle de lassitude, comme si, chaque jour, il traînait le poids d'une mauvaise nuit. En entaillant avec Léo, il n'avait pas eu besoin d'expliquer long-temps, quelques mots avaient suffi et le vieux bûcheron de demander: «Les chalumeaux, j'en prends pour com-bien?» Les vieux hommes comme Léo ménagent leurs paroles quand il n'y a que tristesse à dire.

— On rentre? demanda-t-il à Andrée pour chasser le brouillard de chagrin qui venait de s'installer entre eux.

***

Gabriel s'était dévêtu et lavé le premier. Dans la forêt, avec, pour toutes commodités, le silence et le strict nécessaire, il aimait ces gestes et, par-dessus tout, il aimait voir Andrée les accomplir. Il se cala dans le gros fauteuil, où la lumière de la chandelle ne le rejoi-gnait pas, et il attendit qu'elle commence le rituel de sa toilette du soir. Déjà, il avait son corps nu derrière le front.

Elle puisa l'eau qui chauffait sur le poêle avec le pichet et remplit la bassine posée sur la table. Puis, elle se dévêtit. D'abord le pantalon, qu'elle fit glisser sur ses jambes, sans hâte, comme si elle laissait à regret un morceau d'elle-même s'en aller. Le vêtement vint choir à ses pieds. Quand elle se pencha pour le prendre, le plancher émit un petit gémissement. Ses doigts ne se décidaient pas, hésitaient sur les boutons de son chemisier à carreaux. Elle regardait par la grande fenêtre, dont elle était tout près, mais d'un regard si fixe qu'elle ne pouvait que voir l'invisible. Un premier bouton libéré ne déplaça pas son vêtement, lequel resta fermé sur sa poitrine et, parce qu'elle se prolongeait dans l'immobilité des grands arbres, il en fut ainsi pour tous les autres boutons qu'elle défit. Avant de retirer son chemisier, elle prit une serviette et la plongea dans l'eau. La pleine nudité d'Andrée tardait à venir. Gabriel attendait, se soûlant des gestes dans l'antichambre du désir. Voilà, elle faisait rouler ses épaules et les manches du vêtement obéissaient aux mouvements, glissaient rapidement le long de ses bras. Elle était toute nue, les jambes légèrement écartées; Gabriel voyait son profil découper la pièce sombre. Dieu, que sa chair était pâle! Sur ses épaules les lueurs de la chandelle s'accrochaient comme un éclat de lune sur la grève. Ses seins aux mamelons aiguillonnés trahissaient le frisson qui devait la gagner des pieds jusqu'à l'échine du cou. Ce corps blanc, ces jambes fines, ces fesses rondes, ce creux léger et plein de pénombre au bas du dos: Gabriel ne cessait de s'en éprendre, comme si, parmi les rendez-vous du hasard, il avait frôlé le malheur de n'avoir pu la rencontrer, l'aimer.

Elle se lavait maintenant et, s'il l'eut fait à sa place, jamais il n'aurait donné tant de force à ses mouvements. Elle commença par le visage et le bien-être de l'eau chaude la fit soupirer d'aise. Quand la serviette frôla l'aisselle, poursuivant sa course jusqu'à la générosité de la hanche, Gabriel sentit le désir naître en lui.

Les gestes d'Andrée pénétrèrent sa peau comme la première brise de mai, troublant sa respiration et la patience de son corps. Dénouant son chignon, elle se tourna vers celui qui l'appelait de tous ses yeux.

***

Le temps s'était dressé, quelque part parmi les grands arbres et seuls leurs souffles avançaient vers le néant. Allongés l'un près de l'autre, la sueur lentement s'endormait sur leurs corps nus à mesure qu'ils émergeaient de l'hébétement. Peu à peu, les bruits revenaient habiter le camp, les murs ondulaient dans leur danse lente et vague sous les lueurs de la chandelle, le feu, devenu braise, chuchotait doucement. Dehors, la forêt tissait sa nuit; à intervalles irréguliers, une chouette parlait au vent et ses cris traversaient les ténèbres. Parfois, un morceau de bois craquait non loin. Gabriel, le corps vide, écoutait les signaux et tentait de trouver, dans sa mémoire, quel animal frôlait son silence. Il avait tant guetté les bruits: l'éclatement sec d'une branche sous la patte d'un orignal, le froissement des framboisiers sauvages où l'ours festoie et le bruissement de la perdrix qui fuit sous les épinettes. Il les connaissait tous par cœur.

Andrée ouvrit les yeux, lentement. Gabriel reposait à ses côtés, couché sur le dos, une main sur la poitrine et les doigts de l'autre légèrement accrochés à la saillie de sa hanche. Quand il bougeait cette main, elle en recevait la caresse jusque dans le prolongement de la cuisse. Elle sentait venir la tristesse comme chaque fois qu'elle fuyait le sommeil d'après l'amour. Une tristesse molle, qui se couchait sur elle et gênait son souffle. Il y avait eu l'incendie du désir, leurs corps se cherchant aussi longtemps que, soudés l'un à l'autre, ils s'étaient appelés à travers leurs gémissements. Puis, l'orgasme les avait consumés, en une seule gerbe, éphémère soleil, fétu de paille embrasé. Ils étaient retombés sous les saccades de l'égarement et chacun avait glissé dans le vide de son corps. C'était cela qui la rendait triste: ce désert, cet espace nu après le foisonnement de la chair, de l'âme de Gabriel respirant, battant en elle. Elle était indéfinissable, cette peine charnelle de la solitude; nostalgie du désir toujours inassouvi de l'autre, que la vie éloignera des jours durant...

— As-tu entendu?

Dressé sur un coude, il regardait Andrée sans la voir. Déjà, il épiait l'animal dont il avait entendu les pas dans la nuit.

— Je pense que c'est un chevreuil, peut-être un orignal. Je vais aller voir; ça vient de tout près, pas loin du camp.

Il avait parlé tout bas, haletant légèrement. Pour sortir du lit, il passa au-dessus d'Andrée, déposant un baiser furtif sur son épaule. Comme un loup qui rampe vers sa proie, il fit le tour des fenêtres sans bruit. Andrée attendait un signal, un murmure lui disant de s'approcher pour voir la bête. Mais la voix de Gabriel s'éleva, forte et rieuse, dans le camp plongé dans le noir.

— Il est parti. As-tu faim, toi? Moi, je mangerais bien des toasts sur le poêle.

Projetant les jambes, elle sauta du lit, s'enroula dans une couverture et vint se coller contre Gabriel, près du feu.

Comment lui dire qu'il lui manquait, que même s'il

était là tout près, la solitude s'édifiait un mur dans l'air. L'amour lui avait dit que Gabriel était sien, mais il y a tant de mensonges dans la marche triomphale des corps, dans la course légère du temps. Elle ne savait trop quand cela lui était venu la première fois. Probablement après l'amour, dans l'alanguissement du corps qui s'égare bien avant que le sommeil n'efface la jouissance du grain de la peau. Elle se sentait alors si loin de tout. Loin de la vie, du temps qui ne compte que lorsque la mort approche. Sa main passait et repassait sur la plaine du ventre, effleurait un sein qui buvait, ému, le rêve d'un enfant. Et dans ses yeux mi-clos l'espoir et la tendresse appelaient la lumière en son jardin.

Cet enfant n'avait pas de nom, pas de visage, mais elle pouvait sentir son poids au creux de son bras quand elle en rêvait, son souffle frêle lui chavirer l'oreille. Il germait dans son âme et, de jour en jour, demandait à devenir.

Elle l'avait dit à Gabriel, un matin de grande solitude. Il avait tourné la tête vers elle et, doucement, sa main s'était posée sur un de ses seins: un moment de grand bonheur, peu de paroles, les mots des yeux. La vie débordant de l'amour allait pouvoir enfin éclore.

On était alors en décembre. Avant le malheur.

— Et pour l'enfant, Gabriel... As-tu réfléchi?

Les murs du camp couraient entre l'ombre et les lueurs de la bougie. Gabriel avait mangé deux ou trois toasts, était sorti marcher un peu dans la sucrerie puis, les muscles du corps débridés, était venu s'étendre sur le lit au pied duquel Andrée feuilletait une revue.

110

Cette question, il l'attendait depuis quelques semaines. Elle avait parlé tout bas, dans un souffle et il savait sans même voir son visage qu'elle avait dû surmonter un sanglot pour parvenir à lui dire qu'elle espérait, malgré tout et encore, qu'il ait changé d'idée à propos de l'enfant qu'elle voulait.

— Viens t'étendre près de moi, lui dit-il.

Andrée, déjà, savait que la réponse serait négative. Elle se glissa le long du grand corps maigre de Gabriel et appuya la tête sur son épaule. À deux, ils prenaient tout au plus la place d'une personne sur le petit lit de fer forgé.

— Alors, tu n'as pas changé d'idée, c'est toujours non?
— C'est toujours non, répondit Gabriel, aussi doucement qu'il le put.

Andrée ferma les yeux et se laissa prendre par le désespoir.

De toute sa vie elle n'avait rien désiré autant que cet enfant. Et c'était bien plus qu'un désir: une exigence troublant sa chair et qui lui parlait tout haut sans qu'elle n'y pût rien. Souvent, au plein cœur du temps qui roulait, cette voix s'élevait, effaçait les lieux et l'heure; elle écoutait ces mots venus d'eux-mêmes lui raconter la plus belle histoire qu'elle eût jamais entendue.

— Ne pleure pas, c'est déjà tellement difficile, lui dit Gabriel d'un ton attristé.

Elle n'avait pas la force de répondre; seulement celle de respirer malgré l'étau du désespoir.

— Andrée, je ne peux pas faire ça. Je ne peux pas te faire ça, te donner un enfant et puis m'en aller, sans le voir grandir, sans même peut-être le voir naître... Je voudrais que tu comprennes.

Elle le savait trop bien. Gabriel lui avait répété ces raisons cent fois. Il lui avait dit qu'il l'imaginait, portant un orphelin dans son ventre et le porter, lui, en terre. Puis, il se la représentait encore, toute seule, enveloppée de douleur, seule avec un enfant qu'il abandonnerait en même temps qu'elle.

Andrée inspira profondément, se dressa au-dessus de Gabriel et chercha ses yeux dans la pénombre. Il fallait le convaincre, trouver les mots pour lui dire qu'elle voulait cet enfant même si elle devait se retrouver toute seule un jour, et «surtout» si elle devait se retrouver toute seule, parce que leur petit serait plus qu'un enfant de l'amour: il serait «lui», Gabriel, vivant toujours à ses côtés.

— Si tu savais ce que le fait d'avoir un enfant représente pour moi. C'est bien plus que le désir d'être mère; je le veux parce qu'il sera de toi, qu'il aura beaucoup de toi. S'il est là quand tu seras parti, il me semble que ce sera moins dur, que je pourrai toujours t'aimer à travers lui.

L'amour coula en Gabriel, comme un soir d'été qui glisse lentement sur les couleurs d'un champ, et il ferma les yeux pour voir, au-delà du visage, le courage, l'entêtement de cette femme si douce.

Andrée vint poser son front sur le sien et elle l'entendit lui murmurer: «Je t'en prie, ne me demande pas ça.»

Comme un gros ours dans une cage, Léo Dumont tournait en rond dans la bouillotte et, même s'il marchait lentement, arborant son allure balourde habituelle, l'impatience et l'inquiétude pesaient sur son dos, lui retenaient les épaules dans une inconfortable étroitesse. Et, le cou un peu rentré, il avait l'air de quelqu'un qui a raté son autobus sous le crachin.

«Mais qu'est-ce qu'y fait, nom de Dieu! Et pis, où est-ce qu'y est passé? Le feu devrait être allumé à c'heure-là.»

Pour une fois, la journée s'annonçait bonne: pas trop de vent, juste un petit filet d'ouest favorable et un soleil ardent qui cognait aux arbres comme un prince aux portes de son royaume. On allait pouvoir oublier les derniers jours et faire les sucres à pleine «brassée», dans l'abondance. Les dix dernières journées avaient été mille instants de faux espoirs, de petites éternités à guetter le fond du temps qui n'adoucissait pas. Pourtant, le jour se levait souvent avec toutes les frasques d'un printemps certain, mais vents et nuages accouraient et étouffaient cette promesse qui réussissait à peine à effleurer les branches hautes. On ramassait les fonds de chaudière; la bouillotte, des jours entiers, gardait son gros œil fermé sur le ciel, gémissant sous le vent froid. Léo priait et, dans ses échanges silencieux avec le Bon Dieu, il ouvrait ses mains calleuses et Lui montrait les miettes de joie dont un homme et sa faim du printemps ne sauraient se contenter.

Ce jour-là toutefois, rien ne dérangeait le ciel ébloui; il n'était que dix heures et la chaleur coulait déjà dans l'air. L'auto de Gabriel était garée sur le bord de la route. Léo avait suivi son grand pas montant à la cabane. Il avait vu qu'à la croisée des épinettes et de l'érablière le jeune homme avait laissé le chemin pour suivre la piste de deux chevreuils et tenter probablement de les surprendre à la clairière où il leur avait planté des pommiers, quelques années auparavant.

Plus d'une heure de cela et le «petit» n'était toujours pas revenu. Léo trépignait maintenant plus d'inquiétude que d'impatience. Et s'il était arrivé quelque chose à Gabriel... S'il avait fait une mauvaise chute en enjambant le cours d'eau, par exemple. Léo sortit dehors et fouilla le bois des yeux aussi loin qu'il put. Comme chaque fois qu'il était tracassé, il se mit à parler tout haut, se posant mille questions susceptibles de lui apporter les réponses qui l'apaiseraient. «Y'a dix minutes de marche d'icitte à la clairière; l'aller et retour, ça fait une p'tite demi-heure... À moins qu'y ait décidé de suivre les chevreuils jusqu'à la sapinière. Ouais, ça doit être ça, y doit être rendu au ravage.»

Les arbres se dégourdissaient au soleil et l'eau perlait ici et là aux chalumeaux. Léo alla s'asseoir sur le perron du camp et, balançant les jambes, il promena nerveusement sa casquette sur son front. «C'est comme rien, y doit ben sentir le redoux. On a assez d'eau pour partir le feu; avec c'qui va couler aujourd'hui, si on veut fournir à bouillir, y'a pas d'raison d'traîner. Faut quasiment qu'y soit arrivé quelque chose. Ça peut-tu être à cause de sa maladie?»

Le chuintement des pas sur la neige ramena instantanément le calme dans sa tête. Le «petit» avançait entre les arbres, l'enjambée grande et régulière comme à son habitude.

Gabriel déposa son sac à dos sur une marche du perron et déboutonna sa grosse veste de laine.

— T'as suivi les chevreuils.

Ce n'était pas une question, mais une constatation, comme Léo pouvait en faire en ce genre de circonstances. S'il croisait le pas d'un homme, il le voyait au bout de sa quête.

— J'en suivais deux: une mère et son petit. Ils m'ont amené jusqu'au pré. J'y avais bien pensé... Eh bien, rendu là, sais-tu combien j'en ai compté?

Léo attendait. Il y en avait assez, dans les yeux du «petit», pour allumer une étincelle.

— Vingt-six! Vingt-six beaux chevreuils qui fouillaient la neige. On aurait dit un troupeau de vaches. Ils sont en santé et j'ai vu des mâles, le cou gros comme ça!

Et Gabriel montrait, ses deux mains jointes en cercle, un cou de la taille d'un arbre à mi-chemin de la vie.

— Y'ont pas eu d'misère cet hiver, dit Léo. Pour nous autres aussi, la misère est finie. C'est astheure que les sucres vont commencer, mon p'tit gars.

Et il quitta le perron. Les mains dans ses poches, il se dirigea vers le garage en marmottant: «J'm'en vas sortir le tracteur pis, le «greyer» pour le ramassage. Le feu dérougira pas, c'est moé qui te l'dis!»

Les portes du Champion grincèrent l'une après l'autre et un petit nuage de poussière en sortit, comme s'il avait soupiré. Gabriel commença par répartir les cendres avec un tisonnier dans le lit de fonte. Puis il y jeta plusieurs morceaux de journaux chiffonnés sur lesquels il déposa des éclats de bois; il prit soin de les disposer en croisée, de façon à ce que l'air passe et conduise la flamme jusqu'aux rondins, qu'il plaça ensuite doucement sur le tout. Il craqua une allumette, la laissa tomber dans le nid de papier et referma les portes, laissant un entrebâillement pour donner du souffle au feu. Sous l'emprise de la chaleur, la fonte du poêle et l'acier inoxydable de l'évaporateur se mirent à marmonner et l'air se remplit de claquements comme une voile empalée par un bon vent.

Gabriel commença le long va-et-vient de l'appentis à la bouillotte: il emplissait sa brouette de bûches et, contournant le coin de la cabane, il allait porter sa charge dans la bouillotte, où il cordait le bois le long du mur. Après une dizaine de voyages, entrecoupés de trêves où il attisait le feu et remettait des bûches dans l'âtre, il s'arrêta soudain. Les poignées de la brouette lui glissaient des mains: il semblait avoir perdu le pouvoir d'obéir à l'ordre qui, dans sa tête, lui commandait de faire un effort supplémentaire. La brouette tangua un peu sur ses pattes avant de s'immobiliser. Quelques bûches roulèrent dans la neige molle et Gabriel leva les mains à la hauteur des yeux. Elles tremblaient et il avait l'impression bizarre que ce n'était pas les siennes. Elles étaient exagérément ouvertes et il les regardait frémir de quelque chose qui lui échappait complètement. C'était fascinant et épouvantable à la fois.

La voix de Léo, tout près derrière lui, chassa le sortilège.

— Si t'allais brasser la soupe? J'ai midi dans l'estomac. Laisse, j'vas le rentrer, ton voyage de bois.

Gabriel se retourna lentement; il avait du verre cassé dans les yeux, un regard battu par la fièvre et, dessous, au creux tendre de la peau, le soleil éveillait davantage la sueur.

— J'vas finir de rentrer l'bois, répéta Léo en le poussant de l'épaule pour prendre les manchons de la brouette. Va!

Gabriel obéit et s'en alla vers le camp d'un pas lent. Il n'avait mal nulle part. Seulement ces fichues mains indociles, cette chaleur comme une flamme au visage.

Le chaudron de pommes de terre fumait sur la table. Léo se servit. Il en prit trois gros morceaux qu'il barbouilla généreusement de beurre. Gabriel n'avait pas faim, mais, pour faire plaisir à Léo qui l'espionnait d'un air innocent en croyant ne rien laisser paraître, il se força et mit une bonne tranche de jambon dans son assiette. Ses mains ne tremblaient plus, mais il se sentait vidé, faible comme après l'amour. Léo parlait des sucres comme si de rien n'était et Gabriel se laissa porter par les mots, cette musique rassurante des cueilleurs de printemps.

Andrée arriva vers la fin de l'après-midi, un sac de victuailles dans les bras. Le soleil tenait et prenait tout. Le temps, comme suspendu, se dorait dans l'immobilité. Gabriel en était à sa cinquième coulée; le sirop commençait à s'affiner, virait à l'ambre et, dans l'évaporateur, le «réduit» diminuait, distillant un parfum de plus en plus délicat.

Parce qu'il était heureux de la voir, parce qu'elle scrutait son visage pour faire parler le trouble qui l'assombrissait, il enleva ses gants de travail, la prit par les épaules et posa le menton sur sa tête. Son odeur lui revint, comme une faim qui traverse quand le pain cuit.

— Tu as l'air fatigué, Gabriel. Les érables ont dégelé aujourd'hui, hein?

Ç'avait été une journée de grâce, même s'il avait fallu ramasser l'eau en courant pour ne pas trop abandonner le feu, même s'il avait fallu couler et mettre le sirop en conserve sans répit pour suivre la cadence de la fièvre suintante des grands arbres. Une journée qui vous emporte, vous rend la légèreté de l'enfance. Et là, la tête appuyée sur celle d'Andrée, les épaules abandonnées à la berceuse de leur souffle, là, la fatigue était bonne, bonne et douce comme un chien qui se couche aux pieds.

Il lui dit qu'il avait couru toute la journée, préférant ne pas lui parler du malaise qu'il avait éprouvé en fin d'avant-midi. Il viendrait bien assez vite, le temps où elle aurait à partager ses faiblesses.

— Tante Esther est passée à la maison cet après-midi. Je l'ai invitée à manger avec nous à la cabane.
— C'est une bonne idée, lui répondit Gabriel. On va veiller ici, j'ai encore pas mal d'eau à faire bouillir avant de laisser mourir mon feu. Je pense qu'on s'ennuiera pas. Quand Esther sort ses vieux souvenirs, moi, je ne vois pas le temps passer.

Il la voyait déjà, assise sur le petit banc près de l'évaporateur avec son éternelle tasse de café, qu'elle tenait toujours à deux mains, des mains potelées et pleines de chemins de vie. Quand elle ramenait le bon vieux temps, les gens et les lieux revivaient hors de sa mémoire, refaisaient leurs gestes, redisaient leurs dires. Le regard vague, elle vous échappait un peu.

— Tante Esther te fait dire qu'elle apporte le dessert. Elle est partie presque en courant délayer sa pâte à crêpes pour lui donner le temps de «fermenter», comme elle dit.

Ah! les crêpes d'Esther. C'était plus qu'un dessert: c'était aussi une jouissance. Elles faisaient dans la bouche un doux petit sillon. Le goût s'y déposait et un défilé de beaux dimanches se mettait en branle: l'immense table de grand-mère Blanchet entourée des oncles, des tantes et de leur progéniture; les rires et les sourires de pépère cachant parfois ses yeux mouillés en faisant mine de s'éponger avec son grand mouchoir carreauté, un peu à l'abri des regards au bout de la table.

Tante Esther avait la recette de sa pâte à crêpes écrite quelque part au bout des doigts et savait la réussir sans mesures précises. Gabriel avait bien essayé, mais sans succès. Des crêpes trop épaisses, pas assez salées... Enfin, il n'avait jamais réussi ce petit miracle qui avait le goût d'un bonheur d'enfance.

Il ravala sa salive. Rien que d'y penser, l'eau lui venait à la bouche. Il fut ensuite poussé dehors par un trouble qui lui traversa l'esprit, comme si la nausée l'eût envahi et que l'air lui eût manqué. Andrée sortit derrière lui, sans s'inquiéter, pensant qu'il avait besoin d'un outil quelconque. Elle le regarda aller à grands pas vers le hangar et ne vit pas la détresse de son visage, l'envie folle de se retourner et de murmurer au vent et

à celle qui lui tiendrait la main quand il s'en irait:
«J'aimerais manger des crêpes, les crêpes d'Esther, pour
mon dernier repas.»

Par la grande fenêtre de la bouillotte donnant sur le chemin, Léo voyait venir Esther de son pas lent. Elle portait un grand manteau bleu pâle qui accentuait ses formes rondes. Elle n'était pas très grande, mais son allure altière avait quelque chose d'auguste. Léo la voyait un peu comme une princesse oubliée dans une forêt, gerbe de fleurs que personne n'a cueillie dans les étés fugitifs de ses vingt ans. Elle s'arrêta sur le seuil de la bouillotte et resta quelques secondes les yeux fermés à humer le parfum de sirop déroulé en grand pan de vapeur tout autour.

— Les jeunes sont allés marcher du côté des chevreuils, j'pense, lui dit Léo en guise de bienvenue.

C'était plus fort que lui: il était incapable de dire «bonjour» tout simplement. Alors, il le faisait à sa façon. Esther sursauta et le salua en riant de sa surprise. Elle ne l'avait pas vu à cause de toute cette vapeur qui dansait dans la bouillotte.

— J'ai le goût d'aller marcher, moi aussi. C'est une si belle journée. De quel côté sont-ils partis?

De l'embrasure de la porte, Léo désigna la ceinture d'épinettes, au loin, à gauche.

— J'vous conseille pas d'prendre ce bord-là toute seule, madame Blanchet. Aussitôt que vous lâchez le chemin, vous êtes dans' neige jusqu'aux cuisses, pis les épinettes poussent dru.

Esther le remercia du conseil, lui disant qu'elle ne voulait pas courir après la «misère», et elle le laissa en ajoutant qu'elle allait marcher dans l'érablière en faisant le tour par le grand chemin, comme d'habitude.

— Vous regarderez, en tournant au bout d'la sucrerie, y'a une chaudière tout écrasée. Quand j'ai ramassé, à matin, y'avait une grosse piste d'orignal, là; y'a dû avoir d'la misère à passer entre les deux érables, pis y s'est frotté sur la chaudière.

Elle avait déjà pris le sentier lorsqu'il referma les portes du poêle où le feu dévorait les nouvelles bûches en «bardassant».

«A va peut-être rencontrer les jeunes; des fois, ils reviennent en faisant l'tour par le grand chemin.» Il avait encore pensé tout haut. Cela le fit sourire, parce qu'il aimait bien que sa solitude lui parle.

***

Arrivé aux abords de la clairière, Gabriel s'accroupit dans la neige et, scrutant l'éclaircie sous les branches, fit signe à Andrée de le rejoindre. La neige était mauvaise, lourde et collait aux raquettes. Andrée se laissa glisser lentement sur le côté et, contente de pouvoir enfin se reposer un peu, se traîna jusqu'à lui sans faire de bruit.

Ils regardèrent longuement au loin, fouillant des yeux chaque buisson, chaque fourré d'aulnes poussant cà et là dans le pré. Pas un chevreuil ne dérangeait les lieux et cette végétation qui s'était soulée de soleil toute la journée.

— Ça va? Pas trop fatiguée? demanda Gabriel dont le visage respirait le repos et le bonheur.

À le voir ainsi, comme un enfant sur une plage et qui n'a de limites que la fin du sable, elle en oublia sa lassitude et lui répondit en embrassant son sourire.

— On continue? Il faut traverser le pré. Encore une demi-heure de marche et, après, c'est le ravage.

À découvert, le vent soufflait un peu. Était-ce parce qu'ils s'étaient arrêtés quelques minutes? Andrée sentait le froid la rattraper sous son manteau. Après la clairière, ils entrèrent dans un bois où se mélangeaient les plaines, les sapins et quelques bouleaux magnifiquement blancs dans l'écrin vert des résineux. Gabriel semblait suivre une route. Ce n'était pas bûché, non. C'était plutôt comme si un passage s'était créé à force d'y marcher et s'était mis à serpenter dans la forêt. Andrée se rendit bien compte qu'ils étaient sur le sentier qu'empruntaient les chevreuils pour aller de leur repaire à la clairière.

Après une demi-heure de marche, la sueur se mit à se frayer un chemin, sur sa nuque d'abord, puis entre ses seins. Gabriel marchait devant elle, sans bruit. Son pas félin, malgré les raquettes qu'il portait, donnait l'impression qu'il glissait sur la neige. Elle ralentit l'allure pour le voir de plus loin, l'épier dans sa quête têtue, sauvage et tendre à la fois. Parmi les arbres, dans la luminosité ardente de la neige éclairée par la fin du jour, il suivait les pistes comme on va aux rendez-vous de l'amour annoncé.

Le désir de Gabriel, violent, creusa une douleur dans son bas-ventre.

Le passage changeait à chaque pas; des pistes partaient et allaient de toutes parts, maintenant. Les sapins, les épinettes refermaient les lieux, la lumière n'y pénétrant que timidement, comme dans un sanctuaire. Gabriel savait que, tout près, d'un instant à l'autre, ils «tomberaient» sur les chevreuils. Raccourcissant sa foulée, il se prépara à la rencontre, s'exerçant à garder l'immobilité d'un arbre. Derrière lui, Andrée tentait de raisonner son souffle rapide.

Un bruit, d'abord, comme un froissement de papier épais, les surprit sur la gauche. Une masse brune lancée entre les arbres traversa leur champ de vision, l'espace d'un éclair. Gabriel s'arrêta et attendit de longues minutes puis, très lentement, il s'accroupit pour enfin s'asseoir sur le bout de ses raquettes. Andrée, à quelques pas de lui, copiait chacun de ses mouvements, heureuse de ne pas déranger le silence.

Au bout d'un certain temps, qui ne compta pas, où elle eut l'impression de se confondre à la forêt, de se dépouiller des lourds atours de l'entendement, elle sentit une légèreté nouvelle. Elle buvait ce bonheur que Gabriel appelait «le silence», un bonheur qui vous prend la main et vous amène au jardin d'un août éternel.

Gabriel tourna la tête vers elle. Le jour déclinait et il fallait songer à rentrer. Jamais il n'avait forcé les limites d'un ravage. Les chevreuils pouvaient reposer tranquilles sous les ramures: les frontières du hasard ne seraient pas violées.

— **V**ers quelle heure est-elle partie, Léo?

La voix d'Andrée tremblait légèrement.

— Aux alentours de cinq heures. «J'vas faire le tour d'la sucrerie», qu'a m'a dit.

Pour la cinquième fois, Léo répétait cette petite phrase, comme si, par magie, elle devait faire apparaître Esther dans l'allée du chemin.

— Je vais aller remettre du bois dans le poêle, lança Andrée par-dessus son épaule en se dirigeant vers le camp.
— J'reste dehors, des fois que j'l'entendrais appeler...

Malgré la porte restée ouverte, il faisait très chaud dans le camp. Avant de partir, lampe de poche à la main, Gabriel lui avait dit: «Chauffe le poêle au bois vert. On ne sait jamais, peut-être qu'Esther pourrait apercevoir la fumée du camp.»

Il faisait nuit et la lune se levait, ronde et jaune. Andrée sortit sur le perron et, pour ne pas pleurer devant Léo, se réfugia dans l'appentis à la recherche de rondins de bois vert.

On croyait qu'Esther avait pu avoir un malaise et que c'était pour cette raison qu'elle manquait à l'appel. Un événement, survenu quelques mois auparavant, avait cependant refait spontanément surface au milieu des inquiétudes qu'on avait partagées avant que Gabriel n'aille en reconnaissance. C'était avant les Fêtes, à la mi-décembre. Andrée était revenue soucieuse d'une visite chez sa voisine. Cette journée-là, Esther s'était rendue en ville pour faire des emplettes et, après ses achats, elle avait été incapable de retrouver son auto. Une petite distraction lui avait fait oublier l'endroit où elle avait garé son véhicule, avait-elle dit. Un policier, qui distribuait des contraventions sur la grand-rue, l'avait aimablement fait monter dans son auto-patrouille et ils avaient sillonné ensemble le centre-ville et certains stationnements pour enfin retrouver l'auto d'Esther dans la cour d'un restaurant où elle avait d'abord déjeuné. Et, curieusement, pendant qu'Andrée l'écoutait raconter sa mésaventure, la secrétaire du médecin avait téléphoné, demandant pourquoi Esther ne s'était pas présentée à son rendez-vous le matin même. Après avoir raccroché, celle-ci avait déclaré à la blague qu'elle détestait tellement les examens médicaux que cela était suffisant pour lui avoir fait oublier son rendez-vous. Andrée n'avait pas été dupe de cette boutade: elle avait bien vu l'inquiétude d'Esther et elle avait maintenant le pressentiment que la mémoire chancelante de sa vieille amie l'avait encore une fois abandonnée.

Gabriel y repensait tout en balayant la forêt du faisceau de sa lampe de poche. Chaque fois qu'il faisait cinq pas, il criait son nom en tournant la tête pour que sa voix porte de tous les côtés. Il avait refait tous les chemins de l'érablière et revenait maintenant vers les bâtiments.

Esther frôlait les soixante-dix ans. Il la savait en forme pourtant, même si à cet âge le corps et la mémoire font souvent chambre à part. Pour quelle raison tante Esther avait-elle quitté le chemin battu? À l'heure où elle était partie, le jour l'accompagnait encore. Ce devait être après, plus loin, et peut-être au bout de la sucrerie, qu'elle avait dû commencer à marcher vers l'inconnu, surprise par la noirceur.

Au camp, il trouva Andrée qui frappait sur le tronc d'un arbre avec un morceau de bois. Elle était morte d'inquiétude et faisait du bruit pour appeler sa vieille amie et la guider.

— Je ne crois pas qu'elle soit près d'ici, lui dit Gabriel en éteignant la lampe.
— Tu n'as rien vu, pas même une trace?

Des traces de pas, il y en avait des centaines dans l'érablière. Le passage des cueilleurs avait laissé des marques en maints endroits. Et puis, après cette journée de franc soleil, la neige avait retraité. La terre repossédait ses chemins et tout autour de chacun des arbres se dessinait un cercle, un tapis de vieilles feuilles d'automne gorgées de l'eau de la fonte. Il n'y avait que dans les sous-bois que la neige résistait encore; l'hiver sommeillait toujours dans ces isoloirs créés par les masses compactes que formaient ici et là de grands arbres à aiguilles.

— Il va falloir organiser une battue. Où est Léo?

Andrée désigna la coulée située derrière le camp. Cette partie du terrain n'était que partiellement entaillée à cause de la modeste dimension des érables, qui avaient du mal à croître dans ce bas-fond.

Léo était allé voir par là: les chemins y étaient moins bien définis et, surtout, l'attente lui était devenue insupportable.

— Je vais monter à Saint-Christophe «ramasser» du monde pour la battue. Continue à chauffer le poêle et, quand Léo reviendra, dis-lui que je ne serai pas long.

Andrée comprit, au ton de Gabriel, qu'Esther était loin d'être retrouvée. Elle leva les yeux vers lui et, presque tout bas, alors qu'un long frisson passait sur son dos et la secouait, elle lui demanda:

— Penses-tu qu'elle pourrait mourir de froid?

Gabriel l'amena à lui et, tout doucement, trouva du réconfort à lui murmurer.

— Le temps n'a pas trop durci. Si elle s'est installée sous un sapin ou une épinette, avec des branches pour se faire un lit et se couvrir, ça devrait aller. Et puis, regarde, la lune est avec nous. On va la retrouver, ne t'en fais pas.

Quand il monta dans son auto, Gabriel eut du mal à contenir sa hâte. En chemin, il avait soudain pensé aux deux chiens d'Esther. Sa première destination, avant d'aller chercher de l'aide, serait la maison de sa tante.

Un chant ancien montait, frôlait les branches et se perdait dans la nuit comme une plainte. Il était question de filles à marier et d'hommes qui s'ennuient et s'usent aux chantiers. Il n'y avait que ce chant, et la forêt silencieuse écoutait, interdite, ce récital étrange.

Esther se disait que la vie serait auprès d'elle tant qu'elle s'entendrait chanter. Les mots qu'elle puisait dans le trousseau de sa jeunesse ondulaient à son oreille, la réconfortaient, tenant la peur à l'écart. Et qui sait? Peut-être qu'on arriverait à l'entendre.

Elle repensa aux perdrix qui, comme elle, devaient être écrasées sous un arbre, petites boules d'instinct tapies quelque part dans la forêt. Quand elles s'étaient envolées, le goût de les suivre l'avait fait bondir hors du chemin comme lorsqu'elle était jeune, et qu'elle les chassait avec ses frères, l'hiver. C'était si simple: il suffisait d'avoir un bâton. Même une bonne roche faisait l'affaire. Les perdrix sont sottes; l'hiver, elles courent un peu sous la menace, puis s'écrasent sur la neige, se pensant invisibles avec leur plumage blanc. Mais ces chasses, c'était au cœur de l'hiver; elle avait oublié que le printemps rend aux perdrix leurs sens et qu'elles redeviennent rusées et insaisissables.

***

Malgré son manteau trop long pour de grandes enjambées, malgré la neige mauvaise, quel bonheur de traquer les gélinottes, l'enfance et les souvenirs, toutes voiles dehors! Mais ce bonheur l'avait égarée et lui avait fait perdre sa propre trace.

Lorsqu'elle eut atteint la cédrière après avoir marché longtemps sans reconnaître son chemin, la fatigue et le découragement alourdirent son pas comme du plomb. Sans trop pénétrer dans un bosquet fourni, elle choisit un cèdre généreux et, à même les branches basses, s'y fit une couche.

La noirceur, parce qu'elle l'avait vue venir en cheminant à ses côtés, ne l'effrayait pas trop. Et puis, il y avait ce beau ciel enluné qui adoucissait la silhouette noire des arbres, mouillait la neige d'une petite lumière grise. Parfois, entre deux couplets de chanson, pendant qu'elle reprenait son souffle, un bruit marchait vers elle. Elle sortait alors de sa torpeur, chantait plus fort en agitant les branches qui se trouvaient près d'elle. Le calme revenait, elle fermait de nouveau les yeux. Le murmure de sa voix berçait sa tête lourde et elle ne sentait plus le froid humide de la nuit dans son demi-éveil.

Non loin de là, un orignal avançait lentement et cherchait, dans son répertoire, à reconnaître cette odeur ni végétale ni animale qui ne lui disait rien. Curieux de nature, il poursuivit sa quête en reniflant l'air et le sol pénétrés d'inconnu. Parce qu'il n'avait pas une très bonne vue, il n'apercevait pas encore Esther pourtant à cent pieds à peine devant lui. Toutefois, son odorat et son ouïe étaient exceptionnels; il pouvait flairer son voisin le loup de très loin, entendre la neige parler sous un pas, et ainsi prendre une distance sûre.

Arrivé au mur de cèdres, il aperçut une forme couchée dans les branches, s'immobilisa et attendit. À intervalles réguliers, la forme bougeait. Mais c'était presque imperceptiblement et, n'eût été du souffle qui cognait à ses oreilles, il l'eût crue morte. Que pouvait être cette bête? Plus grosse qu'un loup. Et puis, cette robe, ni blanche ni noire, plutôt semblable à la couleur du ciel, celle que le franc jour étend au-dessus de la tête quand le temps est calme. Prenant un peu de côté, il avança encore, la tête baissée pour mieux voir. Maintenant, il pouvait distinguer un visage. La «chose» respirait et le souffle, calme et long, ne provoquait pas la brisure de la peur non plus que le fiel de l'agressivité. L'orignal scrutait cette face nue, cette tête sans oreilles pour deviner la forêt, ce nez trop petit pour débusquer le fond du vent et cette bouche de rien du tout pour arracher les fruits de la vie. Au-dessus d'Esther, rien ne les séparant, l'orignal épiait toute cette différence. Il se laissait pénétrer par cette odeur étrange et singulière. Elle entrait par ses grands naseaux et fouillait sa mémoire, y laissant une trace nouvelle qu'il reconnaîtrait désormais parmi les fronces les plus fines de l'air.

Quand Esther râla, tous les sens de l'orignal, tel un ouragan, balayèrent la toison du cou. L'alerte se prolongea en courant sur sa colonne vertébrale, tout le long du dos. Avant qu'il n'eût compris ce qui se passait, il avait plié les pattes arrière et donné un grand coup de reins pour fuir et ainsi s'échapper au danger. Pendant qu'il courait encore, décrivant d'instinct des sinuosités pour embrouiller sa piste, il entendit un son, comme une complainte briser de nouveau le silence de la forêt. Lorsque la menace ne fut plus qu'un murmure lointain, il s'arrêta pour reprendre haleine et se demanda quelle faim pouvait bien faire pleurer cette «chose» à la lune.

En plongeant la main dans le fond du sac d'épingles à linge, Gabriel reconnut le métal froid des clés au bout de ses doigts. C'était la cachette d'Esther.

La porte grinça sur ses gonds, Gabriel pénétra dans la cuisine obscure et un concert d'aboiements lui parvint de l'étage. Pendant qu'il cherchait l'interrupteur à tâtons sur le mur, il entendit les chiens dévaler l'escalier. Esther avait tout essayé pour leur apprendre à descendre sans courir. Peine perdue, ils s'y ruaient côte à côte, comme si le premier arrivé allait gagner une montagne d'os. Au moment où il faisait de la lumière, les chiens débouchèrent dans la cuisine. Ils le reconnurent tout de suite et se précipitèrent vers lui en se trémoussant de joie.

— Comme ça on profite de ce que le maître est parti pour coucher dans son lit! Ah! Les vilains chiens!

Pattes de devant montées sur la poitrine de Gabriel et se laissant enlacer, les chiens ne parvenaient pas à rejoindre cette figure qu'ils auraient bien aimé embrasser à grands coups de langue.

— Je vous emmène au bois, les enfants! Depuis le temps que vous flairez des pistes... Cette fois, ça va être une vraie chasse. Et j'espère que vous allez y mettre tout votre flair. Avant, il faut que je trouve quelque chose...

Ce «quelque chose» était là, sur le dossier d'une

chaise. C'était le bon vieux gilet d'Esther, celui qui ne quittait jamais ses épaules dans sa maison frileuse, dont la chaleur était épuisée par les courants d'air.

Gabriel roula la veste de laine et la mit sous son bras.

— Allez, en voiture! Maintenant, on va chercher du monde au village.

Ils étaient tous là à le regarder d'un air grave. Léo portait la main à sa casquette et la rabattait d'avant en arrière sans cesse comme si cela pouvait l'aider à trouver une piste. À côté de lui, les jumeaux Morin, des hommes déjà mûrs avec des corps encore mutants. Debout derrière Gabriel, de leurs yeux noirs, ils scrutaient la nuit, là-bas.

Il y avait aussi monsieur Leduc, un cultivateur, voisin d'Esther dans le rang: la quarantaine usée, un petit homme doux et serviable comme peuvent l'être les gens que la terre nourrit et berce de silence. Son fils, Luc, «Le grand flanc» comme on le surnommait, avait l'air d'un géant à ses côtés. Le jeune homme au visage fermé, indifférent, écoutait Gabriel établir un plan de recherche: il ruminait sa soirée perdue. Ses copains devaient festoyer et faire du grabuge au village comme tous les samedis soir...

— Bon, on va se séparer en quatre groupes. Il faut chercher à partir de la cabane en montant jusqu'au «fronteau». Elle est partie d'ici vers cinq heures. Si elle n'est pas revenue, c'est qu'elle a quitté le chemin pour pénétrer dans le bois. On a fouillé l'érablière sans succès. Donc, je propose qu'on se déploie comme ça: de chaque côté du grand chemin, en laissant une bonne distance entre chaque groupe. Est-ce qu'il y a des questions?

Gabriel regarda son père se porter sur une jambe, puis sur l'autre, impatient de partir.

Quelqu'un demanda quel serait le signal pour avertir les autres chercheurs si l'un des groupes retrouvait Esther. On convint d'un sifflement et les hommes se divisèrent. Gabriel prit la chienne Canelle, Lucien et Léo partirent avec Muscade. Monsieur Leduc tira sur la manche de son fils qui, manifestement, aurait voulu être ailleurs. Quant aux jumeaux, ils avaient déjà fait du chemin et personne n'aurait songé à les séparer tant ils marchaient comme un seul homme.

Andrée les regarda s'éloigner et, une centaine de pieds plus loin, les vit se séparer en quatre groupes. À la hâte, elle monta les marches du perron pour secouer la tristesse de cette veille pleine de solitude. Dans le camp, il faisait toujours aussi chaud. Elle enleva son manteau et prépara du café. Quand ils reviendraient tous, une boisson bien chaude les attendrait.

Canelle tirait au bout de sa laisse. Le corps tendu, elle courait presque et s'étranglait en voulant rompre un lien dont elle n'avait pas l'habitude. Gabriel se demandait par moments si elle avait flairé la piste d'Esther. Mais, à la regarder s'étouffer dans ses élans brisés, il s'aperçut qu'elle ne mettait jamais le nez au sol. Il s'arrêta, attacha la courroie à un arbre et s'accroupit près d'elle pour essayer de la calmer.

— Allons, allons, tu vas te déboîter le cou à me résister comme ça. Oui, c'est ça, tranquillise-toi. On a tout notre temps, ma belle.

Peu à peu, Canelle se calma, retrouva son regard attentif. Elle s'assit et posa sa bonne tête sur le bras de Gabriel pour qu'il la caresse. La nuit avait fraîchi et avançait dans le silence bleuté de la lune. Ils avaient pénétré dans «le jardin», ainsi que Gabriel appelait ce lieu où pépère avait fait une bonne coupe d'éclaircie, ne laissant qu'épinettes et sapins, et l'espace qu'il faut aux géants pour grandir. Dans ce passé trop lointain pour qu'il l'eût connu, les arbres s'étaient entêtés à monter au ciel et Gabriel avait veillé à ce que «le jardin» reste le sanctuaire de leur tranquille ascension.

C'était ici que, pour la première fois, ils avaient parlé d'éternité, Andrée et lui. Il revoyait leurs corps étendus au pied du pin... On disait simplement «le pin», parce qu'il n'y en avait qu'un seul comme lui dans l'érablière, majestueux, gros comme un faisceau de bouleaux. Haut et droit, si haut et si droit que, couché à ses côtés, on avait l'impression de quitter la terre, de s'éparpiller au gré du vent et des nuages. Ils disaient «le pin» et, le temps de fermer les yeux, le bonheur de voler bien haut revenait les hanter.

L'éternité. Son éternité toute neuve, avec Andrée dans la peau, la tissure de son âme. Comme il était bon de savoir, de vouloir l'éternité. La solitude vous la cache. Et la jeunesse, aussi: ses vingt ans que l'on pousse dehors et qui, encore un peu ivres, vous reviennent en titubant avec leurs folies sur l'épaule. Mais voilà qu'au bout du champ des étoiles tombées, une lumière vient à soi, traverse les saisons vidées et vous apporte les pinceaux du temps. Vous fermez les yeux et ouvrez les mains, une fenêtre se dessine et, soudain, plus rien ne bouge. Le temps éclate et s'immobilise dans une coulée de lumière. L'éternité vous retrouve, mains en coupe, réconciliant le néant et l'espace.

«Le pin». Andrée, étendue à ses côtés... Et ce bonheur auquel il osait croire. D'amour en abandon, Gabriel avait retrouvé sa propre trace sur la plage de l'infini.

Andrée en avait pleuré de joie, flottant entre le nid des aiguilles tombées du gros arbre et les nuages. C'était donc vrai: cet homme qu'elle devinait, qui ne la quittait jamais parce qu'il emportait un peu de ses sens quand il s'éloignait, cet amour, cet océan de lumière contenue, ces grands fonds tranquilles de l'amitié, ces vagues impétueuses du désir, cette mouvance des courants sur les routes folâtres et insoumises du quotidien. Tout cela était vrai: il était là l'homme qui aimait l'amour, le lui dessinait en tirant des plans dans l'immensité du ciel.

— Tu sais ce qu'Andrée m'a dit ce jour-là? demanda Gabriel en fixant la chienne sans la voir. Elle m'a dit qu'elle sentait son âme. Oui, là, étendue sous l'arbre, elle me l'a montrée dans un geste lent, comme une errance de papillon. Elle a parlé d'avant, de la mort qui la tuait si bien tous les jours. De cette mort qu'on a voulue pour elle, pour tous, qui vous met au monde et vous dépose bêtement dans les trous du cimetière. Puis elle m'a dit d'écouter parce que son âme riait, libre, riait à pierre fendre.

Il prit la tête de l'animal à deux mains; la tristesse venait, droit derrière, lui sauter sur le dos.

— Et toi, Canelle, as-tu une âme? As-tu peur de mourir?

À son nom, la chienne se redressa et le regarda en inclinant la tête, comme si elle réfléchissait à tout cela.

— Allez, on va continuer, sinon je vais perdre mon courage ici. Mais d'abord, je veux te faire renifler quelque chose.

Avant que tout le monde ne se sépare, Gabriel avait sorti le chandail de son sac à dos et l'avait fait sentir aux chiens. Ils n'avaient alors rien manifesté de particulier. Les gens autour d'eux et cette sortie dans une forêt qu'ils connaissaient pour les ivresses de la liberté les avaient excités et ils étaient peut-être trop énervés pour comprendre ce qu'on attendait d'eux.

— Oui, ma belle, c'est la veste d'Esther. Cherche Esther!

Canelle émit un petit gémissement et posa une patte sur le chandail. Elle le renifla et dévisagea Gabriel de ses grands yeux humides, comme si un souvenir, soudainement, lui soufflait des choses sérieuses.

Tout en la détachant de l'arbre, il continua de lui répéter: «Cherche Esther!» Comme la chienne lui paraissait plus calme, il décida de la libérer de sa laisse.

Ils reprirent leur route. Gabriel fouillait le bas des arbres avec sa lampe de poche. Canelle allait, quelques pas devant lui, entre les ombres du clair de lune descendu au jardin.

Les premiers à revenir au camp furent monsieur Leduc et son fils. Ils ne connaissaient pas l'érablière et Gabriel leur avait demandé d'aller vers l'ouest, jusqu'au cours d'eau, puis de rebrousser chemin.

Andrée les avait vus venir et s'était précipitée avec une couverture pour réchauffer Esther, la prendre dans ses bras. Mais ils étaient revenus bredouilles, le pas rapide, tels deux silhouettes noires glissant sur les murs de la nuit.

Pour surmonter son envie de pleurer, elle les avait accueillis la cafetière à la main, écoutant, le dos tourné, l'écho de leurs pas inutiles. Alors qu'elle déposait les tasses sur la table, le jeune avait foncé dans son silence plein de désespoir.

— Qu'est-ce qui lui a pris, à cette vieille folle, de prendre le bois? Elle doit être un peu dérangée...

Comme elle eût aimé le gifler! Non, plutôt le prendre par la peau du cou et le jeter dehors comme on chasse un chien qui montre les dents aux enfants. Mais il n'en valait pas la peine et, pendant que son père, mollement, lui disait de se taire au lieu de dire des âneries, Andrée sortit et fit quelques pas avant de s'appuyer sur un arbre. Là-bas, le chemin et la nuit faisaient la noce dans leurs draps noirs. Elle tendit les bras vers l'arrière et posa ses mains sur l'écorce de l'arbre. La plénitude du merisier l'accueillit et, tel un cheval au bout d'une course folle, doucement, la fatigue glissa le long de son dos. Sa colère s'était transformée en lassitude et elle chercha, dans la pénombre, à rejoindre Gabriel, au loin, dans sa quête.

Puis son beau-père, Léo et Muscade revinrent à leur tour. Le vieux bûcheron avait sa mine des mauvais jours et, quand ils eurent regagné le camp et que tout fut dit, les silences devinrent trop lourds pour Andrée. Elle alla s'installer sur le perron avec Muscade. La chaleur du chien lui faisait du bien, elle en avait besoin, besoin de ce souffle battant contre sa cuisse et sa solitude.

Les hommes avaient dit: «Dans une heure! Si, dans une heure, Gabriel et les jumeaux ne sont pas revenus, on avisera la police.»

Une heure... Un petit frémissement de lune, l'apaisement trouvé dans la fourrure fauve de Muscade. Et une éternité à chercher une silhouette parmi les fantômes de l'angoisse.

***

Des aboiements effleuraient son rêve et en déchiraient le fil comme une fragile toile d'araignée. Le froid pénétra son esprit, marquant de mille coups de dent son territoire de chair. Autour d'elle, les arbres s'amenaient comme des veilleurs de mort et Esther ne reconnut pas ces lieux sans murs pour amarrer son sommeil. Une voix criait son nom. C'était loin comme un nuage de juillet, loin et fugitif. Son immobilité, le détachement étrange qui la laissait là, sans réponse et écrasée au fond du puits de la vie, lui apparut comme une montée au ciel. Elle était en train de mourir et cette voix, cette voix qui l'appelait devait être son guide pour le grand voyage. Plus cette pensée l'enveloppait, plus elle devenait insensible au froid. Son corps ne lui faisait plus mal, lui paraissait si léger... Sur son lit de branches, elle reposait comme un épervier endormi.

Un «Je vous salue Marie» jaillit sur ses lèvres comme un ruisseau de montagne, l'emportant en cascades vers une mer de paix et d'éternité.

Quand, penché au-dessus d'elle, le visage du jeune homme lui apparut, l'enchantement devint extase.

— C'est toi, Gabriel? Comme je suis heureuse qu'on t'ait choisi pour me guider vers Lui.

Et elle reprit sa prière, tenant la main du jeune homme. Chaque mot guidait ses pas vers la lumière où elle allait revivre enfin.

***

— C'est le signal, ça vient de ce côté.

Les jumeaux étaient sur le point de faire demi-tour. De longs sifflements se firent entendre sur leur gauche. Ils répondirent par deux grandes tirades et, tout de suite, le même signal leur revint.

— Je pense que c'est Gabriel, dit Paul simplement. Ça vient de son territoire.

Ils se dirigèrent vers la cédraie à bons pas, certains d'y retrouver Gabriel et une vieille femme que leurs bras portaient déjà.

Esther demeura quelque temps à l'hôpital. Ses engelures n'étaient pas trop sérieuses, mais une grande faiblesse et de fréquents moments de confusion l'avaient amoindrie. Elle était sortie vivante de sa mésaventure. Mais le temps, subitement, s'acharnait à lui faire une vieillesse maladive.

La récolte des sucres s'avéra moyenne et Gabriel en fut heureux. Il commençait à se ménager, voyait venir la fatigue de loin, parfois en plein milieu du jour. Quand tout le matériel fut rangé, l'évaporateur et les chaudières lavés, il prit la décision de régler sa succession et de profiter du temps qu'il lui restait.

En faisant l'inventaire de ses biens, il avait établi un plan de l'exploitation et des revenus prévisibles. Au début, Andrée avait eu du mal à s'asseoir à ses côtés pour regarder froidement cet avenir sans lui.

Gabriel lui disait: «Il va falloir que tu fasses un choix: ou tu continues à exploiter les terres à bois ou tu vends. Si tu les gardes, tu n'auras pas à t'inquiéter. Tu n'auras qu'à t'entourer d'une bonne équipe de bûcherons. Le temps venu, il te faudra prévoir de remplacer Léo par quelqu'un d'autre qui saura bien t'assister. Les ventes de bois te rapporteront assez d'argent pour être à l'aise financièrement. Mais je veux que tu fasses le choix toi-même. Si tout cela ne t'intéresse pas, si tu crois que c'est trop lourd, alors, on vendra. Les terres sont très en demande. Je pourrais m'en défaire demain matin, j'en aurais un bon prix.»

Elle s'était efforcée d'y réfléchir et, un soir, dans la porcherie, pendant qu'elle veillait une truie dont la mise bas s'annonçait difficile, elle chercha à s'imaginer seule. Le désespoir, d'abord, l'écrasa au fond de la cage de l'animal. Le vide défilait devant ses yeux: les jours sans Gabriel, les nuits avec la seule mémoire de sa peau. Et les matins ouvrant de grands trous entre le mur et le lit.

— Chienne de vie! Chienne de vie!

Scandés par les sanglots, les mots étaient crachés, comme un venin de haine. Puis, la tristesse devint froide, froide comme une pierre de rivière, immobile et seule au milieu de l'eau qui charrie la vie. Comme des brisants abandonnés au large d'une île n'ayant que l'incertitude des abîmes pour saisons, la tristesse fixait les cloisons de la prison d'Andrée. Elle la sentait si bien, là, dans sa poitrine, prenant la place d'un arbre épanoui, seule et amère comme l'ouvrage d'un siècle de froidure. Répondant à l'écho immuable d'une mort annoncée, la tristesse mesurait l'éternité du malheur. «Je veux mourir avec lui.» Oui, c'est ce qu'elle allait faire! Disparaître avec lui, suivre la fin du monde, traverser cette barrière que l'absurde voulait dresser entre eux. Comme cela serait bon: étreindre Gabriel et partir avec lui, se laisser dériver au gré du vent de l'infini, au bonheur de renaître, peut-être, dans une aurore boréale.

La plainte soudaine de l'animal l'arracha à son voyage. Elle ouvrit les yeux et croisa le regard de la truie qui, étendue sur le côté, mettait au monde dans la souffrance son premier petit. Il arriva, tête première, dans la lumière tamisée de l'ampoule chauffante qui incendiait la cage de rouge. Andrée se releva et s'en approcha. Le petit respirait bien et déployait toute ses forces nouvelles pour se mettre debout.

— Viens, petit. Allez, viens boire!

Secoué par le vent indécis de ses premiers pas, il trébuchait, se cognait aux parois de l'air. Andrée le regardait se débattre, gagner de l'espace, pouce par pouce, pour rejoindre le flanc de sa mère. Ils y arrivaient toujours tout seuls, sauf quelques rares exceptions. Madame Doyon lui avait parlé du lait maternel alors qu'elle lui enseignait ses secrets. «Le premier lait, lui avait-elle dit, celui qu'ils boiront dans l'heure suivant la naissance, c'est un souffle de vie plein de vitamines, le plus riche de toute la période de lactation d'une truie. Il faut que les petits boivent ce lait s'ils veulent s'en sortir.»

Pendant que le nouveau-né s'endormait sur la tétine, un deuxième porcelet naquit. Une dizaine de minutes s'étaient écoulées entre les deux naissances, un délai normal qui rassura Andrée et lui donna le goût de prendre l'air en attendant que la mise bas soit terminée.

Dehors, le silence faisait plénitude comme s'il avait émané de la terre, se cristallisait dans l'air. Le crépuscule brûlait son délire dans les nuages. L'été arrivait, enfin. Il y aurait des étoiles, des cieux tout cousus d'étoiles insolentes. Il y aurait la rosée du matin et le serein du soir qui se poursuivraient et se donneraient des rendez-vous d'amoureux d'outre-mer. Les oiseaux reviendraient et s'installeraient comme s'ils n'avaient jamais quitté le pays, comme si l'hiver n'avait été qu'un grand soir silencieux d'avant l'orage. Et la corde à linge jaserait de nouveau, chuchotant des douceurs au vent, avec ses robes de nuit de dentelle, ses chemisiers légers claquant d'insouciance, et les jours seraient longs à ne plus savoir qu'en faire. Tout cela reviendrait, courait déjà dans la terre.

«Oublie», lui murmurait l'adieu du jour dans sa révérence flamboyante. Mais est-ce que le bonheur peut s'oublier? Est-ce que l'enchantement est capable de rémission? Et avec quoi brise-t-on les yeux d'une pierre de tristesse nouée à un soleil de plomb?

Tant... Elle voulait tant oublier, absoudre l'insanité du destin. Mais elle restait là à regarder la lumière s'en aller comme un enfant terrifié au bord de la nuit, attirée par un trou, avec un galet au milieu du cœur. Doucement, elle se remit à pleurer, appuyée dans l'embrasure de la porte. Sa vie tenait à si peu de choses: elle était comme le fil d'un cerf-volant que le souffle de Gabriel déployait, fragile et grisé d'altitude. Si, au moins, ils avaient un enfant...

Soudainement, cette idée traversa son esprit et se répandit dans son corps comme une coulée de plaisir. «Un enfant...» Oui, un enfant, même si Gabriel disait non, même s'il avait peur. Un enfant, malgré tout, et sans lui, pour continuer, éterniser l'amour et ses instincts, l'émerveillement et ses abandons.

À la hâte, elle regagna la porcherie. Par le miracle de mille petites délivrances, sa pierre de tristesse explosait, grain à grain, allégeant son destin, laissant le vent traverser l'espace et courir vers l'horizon.

Quand elle se pencha sur la truie et sa dizaine de porcelets, son âme lui sourit à plein visage; elle allait ouvrir son corps à la vie et, avec l'enfant de Gabriel, survivre, apprivoiser le bonheur de nouveau.

Ce moment ne cessait de l'émouvoir. Chaque fois. Andrée fermait les yeux, arquait le dos et, la tête cambrée vers l'arrière, le recevait. Dans son corps, tout dégringolait. Un fluide de désir, une cascade sauvage irriguait sa chair oubliée, laissée pour morte. Lentement, Gabriel avançait en elle, son sexe redécouvrant l'étreinte parfaite: monde de plénitude, qui le possédait tout entier. Son pubis, enfin, rejoignait celui d'Andrée. Il s'immobilisait et elle étendait les jambes, laissait retomber le haut de son corps, ouvrant les yeux pour saisir sa propre présence au fond de son regard. Dans la fièvre des prunelles assombries d'eaux profondes, dans la bouche offerte, entrouverte au bonheur mouillé de l'amour avoué, il se noyait de tout son être. À mesure que ses mouvements battaient le plaisir ou contenaient sa hâte, un tourbillon avalait l'espace et le temps. Andrée s'accrochait à ses épaules et le monde venait se réfugier dans l'asile de leurs sueurs mêlées.

Parfois, il s'arrêtait pour écouter le tumulte de sa chair, s'attarder de longs moments au bord de la frénésie. Son sexe frémissait du bonheur aveugle de la chaleur appelante et il vacillait sous l'insouciance de n'être que ce corps. Il savait alors, plus que jamais, qu'il était vivant. L'insolence, l'audace folle de sa faim ne lui criaient que cette vérité: tu es vivant, tu es vivant, Gabriel.

Puis, la jouissance charriait son regard et son souffle. Avec elle il frôlait le secret du corps qui lévite, libéré de lui-même. Comme un ouragan dressé, grisé d'espace à l'infini, le plaisir fouettait son corps en s'éparpillant dans la genèse du monde.

Le silence venait, suivi d'un cortège d'espoir, de possible. Andrée écoutait sans bouger les bonheurs s'attabler en elle. Pour que ses invités prennent place, laissent parler leur promesse, elle respirait profondément. Bras de chaque côté, mains offertes et jambes écartées, elle s'ouvrait toute grande au rêve qui, peut-être, se poserait pour germer dans son corps. Gabriel s'était retiré en roulant lourdement à ses côtés, déjà loin et emporté par l'apaisement.

L'enfant n'avait toujours pas de visage, mais il l'habitait comme une lumière. La main de Gabriel effleura sa cuisse en un mouvement de détresse, comme un champ où le blé trop mûr se couche, fatigué, au premier vent venu.

— À quoi penses-tu?

Pour lui taire l'enfant que tout son corps appelait, elle ouvrit les yeux en éteignant, un à un, les feux de joie qu'elle avait allumés pour conjurer son avenir dépossédé.

Le mensonge vint tout seul. Elle répondit:

— Je pense aux terres à bois, à la sucrerie... J'y ai bien réfléchi et j'ai pris ma décision.

Gabriel se tourna vers elle et attendit qu'elle lui fasse part de ses réflexions. Elle fixait le plafond, où chaque arbre semblait tenir une place.

— Tu m'as appris à aimer le bois et ça me manquerait beaucoup si on devait s'en départir. Je veux garder les terres et continuer à les exploiter.

Elle le regardait maintenant de ses yeux verts, cherchant son approbation et, peut-être, une certaine joie; Gabriel tenait tant à son bien.

— Tu as bien réfléchi au travail que ça peut exiger et aux problèmes inévitables qui peuvent se poser?

— Ne t'inquiète pas, je suis consciente de ce que cela va me demander. J'y ai pensé deux fois plutôt qu'une et, je t'assure, c'est vraiment ce que je veux.

Il y avait dans cette voix une détermination que Gabriel connaissait bien. Andrée n'entreprenait les choses qu'après en avoir longuement mûri l'aboutissement.

Doucement, il retourna à l'oasis du demi-sommeil. Andrée attendit que sa respiration le berce, sans heurt et tout entier.

Il n'avait pas encore changé: les muscles arrogants de la poitrine et des épaules; le havre reposant du ventre, où les tressaillements du cœur échouent comme le mourant d'une vague. De l'écritoire où elle était assise, Andrée épiait ce corps abandonné par le sommeil. Chaque fois qu'elle le pouvait, elle s'en soûlait. Non, il n'avait pas encore changé et, pourtant, plus rien n'était pareil. C'était du dedans. Le corps portait son masque; les jours avaient beau s'entasser au pied du lit, le désespoir s'installait tout doucement.

Ils étaient devenus fragiles: de pauvres amants en croisade contre le désespoir. Ils connaissaient dorénavant la démesure d'un doute enclavé dans les impasses du quotidien. Amants fragiles et seuls, là où personne ni même la volonté ne les rejoint, ne les apaise. Andrée détourna les yeux et chercha par la fenêtre de l'alcôve la fin du jour disloquée dans les nuages bas. «Pourvu que cet enfant vienne.»

Elle ouvrit sa robe de chambre et posa les mains sur son ventre plat. Le temps tuait doublement. Si l'enfant ne venait pas, il lui faudrait affronter le destin seule et elle avait peur d'y laisser sa raison.

Une photo de Gabriel s'interposa entre elle et le ciel ombrageux. De toutes celles qu'elle avait alignées sur l'écritoire, c'était sa préférée. Un immense tas de feuilles mortes: Gabriel y était à demi enfoui, les deux épagneuls d'Esther à ses côtés. Comme ils avaient ri, cet après-midi-là! Toute la cour était recouverte d'un tapis chamarré et le soleil, à grandes coulées, consolait les arbres nus. Ils avaient râtelé les feuilles, les avaient rassemblées en quatre ou cinq gros tas puis, une fois la tâche terminée, Esther, qui prenait un café sur leur galerie, avait lancé:

— Je ne connais pas d'enfant qui ait ramassé des feuilles sans jouer dedans.

Un court instant, ils s'étaient regardés, elle et Gabriel, puis la douce folie du jeu des feuilles les avait transformés en gamins tumultueux. Un bon élan, de grands cris d'allégresse et on allait choir sur une montagne de feuilles. Les chiens aboyaient, se pourchassaient l'un l'autre, ventre à terre. Le plaisir s'était prolongé jusqu'à ce que toutes les feuilles fussent de nouveau dispersées. Après, il avait bien fallu recommencer le ratissage, mais Andrée se rappelait la douceur de la fatigue, le bonheur d'enfant qui l'avait accompagnée encore plus loin que cette journée-là. Quand les tas de feuilles eurent retrouvé leur redondance invitante, elle y avait installé Gabriel et les chiens pour cristalliser ce bonheur.

Il dormait toujours et Andrée, à cet instant précis, se sentit égarée, comme séparée de lui par une immense solitude. Elle enleva sa robe de chambre et, sur la pointe des pieds, courut vers le lit. Gabriel sentit la fraîcheur de son corps glisser le long du sien. Instinctivement, il chercha les couvertures en tâtonnant et l'en recouvrit. Sa main effleura un sein puis, comme appelée par le doute, vint se poser sur le ventre inhabité d'Andrée.

Il savait qu'elle téléphonerait un jour ou l'autre. Il attendait ce moment comme on attend l'automne et ses couleurs d'Afrique égarées.

Bernadette... Sa sœur préférée, installée à Vancouver depuis si longtemps, qu'il aimait comme on berce un souvenir les soirs de nostalgie. Elle débarquait à Saint-Christophe un Noël sur deux avec son grand Anglais de mari, que l'on taquinait en le comparant à une patère souriante. C'est que le grand John s'en allait dans un coin en arrivant et semblait s'y fixer, dépassé par ce flot de français qu'il n'avait jamais su maîtriser. Il y avait aussi leur fils, Mathiew, le portrait tout craché de Gabriel enfant, disait-on, et qui poussait avec la hardiesse de l'ivraie entre ses visites à Saint-Christophe.

Quand ils étaient jeunes, c'était à Bernadette que Gabriel lisait ses poèmes, les soirs où il se réfugiait dans son lit, tout habité des fantômes de l'enfance. Elle fumait une cigarette et se vernissait les ongles pendant qu'il lui révélait, à travers des rimes puériles, qu'il était un petit garçon au cœur embrouillé de tendresse.

Bernadette l'aimait bien, ses deux autres sœurs aussi d'ailleurs: Marie, l'aînée, et Émilie, la missionnaire qu'on n'avait pas vue depuis des années. Mais avec Bernadette ses relations étaient différentes. Était-ce parce qu'elle avait vieilli sans peine, devenant femme sans fin du monde, loin des amours qui rendent fou et étranger? C'était peut-être cela... Au fait, il n'avait jamais su pourquoi elle le laissait entrer chez elle avec tant d'aménité. Il n'avait pas connu ce havre chez ses autres sœurs.

Quand il avait quitté la maison familiale pour emménager avec Andrée dans le rang de la Rivière, Bernadette lui avait envoyé de l'autre bout du pays un journal avec ces quelques mots: «On me dit que tu es amoureux et que tu quittes Saint-Christophe pour faire ton nid. Je t'envoie ce journal intime en guise de cadeau de noce. Si le bonheur te laisse un peu de temps, écris-en des passages. Je m'ennuie de ta poésie.»

Il l'avait rangé dans sa bibliothèque et, souvent, la couverture de cuir ciselé lui rappelait le souvenir tendre de Bernadette que tant de sable et de nuages avaient emporté au loin.

Un beau matin, il prendrait ce journal et le goût de dessiner les jours viendrait. C'est souvent ce qu'il avait pensé en rêvassant dans le petit bureau-bibliothèque. Mais voilà qu'il réalisait que le bonheur était une page blanche. Même si c'était loin, il se le rappelait maintenant: enfant, c'était un chagrin, une peine qui poussait son crayon. Et le bonheur? Le bonheur se suffit à lui-même; il vous prend la main à l'aube et vous emmène au soleil d'un instant éblouissant d'éternité. Vous n'avez besoin de rien d'autre que de cet espace, de cet enchantement qui éclabousse les pages blanches du temps.

«Quand Bernadette téléphonera, il faudra lui dire cela, ouvrir ce journal vierge et lui montrer que la lumière s'enfuit.»

Ce n'était pas la mort qui lui faisait mal, mais son insouciance face à la mort. Il avait vécu comme il était né, en saisissant son souffle, en chevauchant sous sa portée comme si ce souffle lui était donné pour toujours. En fait, il n'y avait eu que le sommeil pour l'inquiéter, les nuits où l'on perd sa trace, où l'on se dilue dans la mer du temps. Mais au réveil, il balayait l'obscurité d'un battement de cils et oubliait qu'il avait disparu.

«Bernadette, ma sœur préférée, la poésie est de retour.» C'est ce qu'il aurait voulu lui dire, ce soir de juin où l'avion de Bernadette se faisait attendre dans le ciel de Mirabel.

Ils étaient arrivés tôt pour voir les gens qui courent après les ailleurs et ceux qui, valises alourdies, en reviennent.

Andrée avait déjà voyagé avec ses parents aux États-Unis et en Europe; elle était à l'aise parmi la foule hétéroclite de l'aéroport. Parfois, quand l'hiver perdurait et que le temps, figé dans la neige, semblait vouloir s'y murer à jamais, elle parlait de ses voyages. Gabriel écoutait les noms étranges des villes qu'elle nommait. Noms de villes accrochées au pied de la mer, de plages envahies de gens qui se regardent, se couchent et respirent les uns contre les autres. Tous face à la mer où le vent, le soleil et les vagues font et défont sans cesse les miroirs.

Lui, qu'avait-il vu? La mer de l'Est, deux ou trois fois. Et il avait beau feuilleter les magazines de voyage, s'intéresser aux films d'ailleurs, aux documentaires exotiques: tout cela ne l'appelait pas, ne l'avait jamais appelé.

Il était allé voir la mer mais, chemin faisant, sur la côte est, plus il s'en était approché, plus il avait découvert la solitude qu'il avait souhaitée. Il l'avait trouvée tout alanguie dans le vent humide, presque déboutonnée par le tumulte incessant des vagues et béate de docilité dans les bras du soleil.

Il avait aimé la mer parce qu'elle lui avait parlé d'immensité, de l'errement tranquille de la terre sur elle-même. Et seul, seul avec elle, il s'était reposé de sa propre course.

— Regarde cette femme de l'Inde, Gabriel, on dirait une princesse.

Andrée avait raison: elle était magnifique. Un sari de soie bleu, drapé sur une poitrine presque plate, éveillait des reflets opalins quand elle bougeait. De son corps de femme-enfant émanaient un calme, un inaccessible isolement. Ses gestes lents et gracieux se perdaient dans la foule. Elle se tenait debout, près des grandes baies vitrées de l'aéroport qui dévisageaient la nuit balisée de points lumineux, droite et immobile comme un ibis en aval du temps. Sa chevelure noire nouée sobrement sur la nuque prolongeait le miroitement de sa robe. Et son visage, couleur de cendres mouillées, sans défaut et presque absent, servait d'écrin à une pierre rouge peinte sur son front comme une blessure fraîche. Et puis, il y avait cette expression, ce renoncement. Ses grands yeux noirs ne regardaient pas: ils effleuraient, éteints par l'indifférence. Elle aurait pu être au milieu d'un désert sans commencement ni fin que son visage n'eût pas été plus crucifié.

Gabriel se tourna vers Andrée. Elle était plongée, elle aussi, dans la beauté esclave du visage de l'étrangère.

— Promets-moi de n'avoir jamais cette souffrance... cette détresse soumise dans les yeux, lui dit-il tout bas très lentement. Andrée prit sa main et se leva pour qu'il la suive.

— Viens, l'avion de ta sœur va arriver bientôt.

Après quelques pas dans le couloir presque désert, elle s'appuya contre lui, cherchant l'étreinte de son bras.

— Es-tu inquiet pour moi, Gabriel?

Inquiet? Oui, mais surtout désolé. C'était une impression curieuse: comment peut-on être désolé de sa propre mort? Pourtant, il sentait parfois monter en lui un sentiment de culpabilité, comme s'il était un peu responsable du déséquilibre qui la minait de jour en jour.

— Je sais que ce que je vais te dire va avoir l'air faussement «mélo», mais j'aimerais que tu me pardonnes si...
— Si quoi? demanda Andrée très doucement pour l'aider à trouver ses mots.
— ...si je ne m'en tire pas.

Il s'appuya sur une colonne, l'entraînant dans son immobilité tout contre lui. Il aurait pu lui dire: «Je vais me battre tant que je pourrai, mais, si j'abandonne, ne m'en veux pas».

Un mois de traitement venait de s'achever et, au cours de cette trêve, il avait mesuré son courage. On avait pris son corps et tracé dessus, bien nets, les chemins et l'étendue du mal. Puis des mains, des dizaines de mains s'étaient agitées, relayées avec ponctualité pour appliquer ce qu'ils nommaient «protocole de traitement contre le cancer».

Le détachement s'était fait tout seul. Par petites fuites d'abord, quand on lui injectait cette solution qui le rendait malade comme un chien. Il leur laissait son corps et prenait l'escalier d'une tour aux mille pièces, un château de souvenirs où les vents et les horizons à perte de vue se font messagers. Quand le traitement commençait son œuvre, il se retournait, appelé par la souffrance. Une infirmière l'attrapait au passage, lui faisait avaler un calmant et il glissait dans son corps anesthésié.

Mais il savait que tout cela n'était que le commencement, que bientôt un autre traitement débuterait pour pallier le précédent qui n'avait rien donné. Et puis il y en aurait un autre, et peut-être un autre encore.

Bien sûr, il voulait se battre, le corps amaigri déjà, la fatigue à bout de bras, mais il avait bien vu l'impuissance de tout ce beau monde: médecins, endocrinologues, oncologues. Quand il leur posait cette question: «Est-ce que j'ai une chance?», leur regard fuyant, leurs beaux discours sur les espoirs de la recherche, tout cela venait mourir dans ses mains. Et il savait que c'était trop peu pour bâtir une promesse.

Andrée était là, dans ses bras. Fragile, livrée à sa faiblesse? Un peu, peut-être; elle le cachait si bien, cependant. Parfois quelques moments d'abandon, de détresses fugitives, comme celle hurlée en silence dans l'étreinte de ses parents lors de leur retour au pays. Elle avançait même dans des saisons dénaturées et hérétiques comme si tout cela n'était qu'un mauvais rêve. Quelque chose la portait, l'aveuglait dans ce quotidien mensonger, et Gabriel n'osait trop en chercher la raison. Il la regardait dérouler sa route et voulait croire que la réalité éclairait ses pas.

Le visage levé vers lui, Andrée cherchait ses yeux.

— Je ne veux pas que tu souffres, lui dit-il. Ça me fait mal de penser que tu peux être malheureuse.

Andrée fit un pas et se dégagea de lui. Des enfants «jouaient à faire l'avion» en tournant autour d'un chariot à bagages derrière elle. Bras en croix, ils couraient en imaginant que le vent les emportait.

— Ne t'en fais pas pour moi, Gabriel, j'ai l'amour, et ça, personne ne pourra me l'enlever.

Elle l'avait pris par les bras et se tenait là, à quelques pouces de lui, serrant les manches de sa veste.

— Tu peux me croire, dit-elle encore en l'entraînant vers un grand couloir.

Gabriel reconnut Bernadette le premier. Depuis de longues minutes, il observait les gens qui débarquaient en provenance de Vancouver. La passerelle surplombant les quais était bondée de monde et chacun essayait, à qui mieux mieux, de s'approcher des grandes vitres pour voir les passagers.

Elle arborait un chapeau genre safari beige, ceintré d'un ruban rouge, dont un des côtés était relevé. Il l'aurait parié: Bernadette était une «fille à chapeaux», comme le disait leur mère. Aussitôt qu'elle se pointait le nez dehors, elle s'en calait un sur la tête. Il faut dire qu'elle les choisissait très bien. L'été, elle se couvrait de grands chapeaux de paille et, avec ses cheveux châtains, mi-longs et légèrement bouclés, elle avait cet air ancien des femmes romantiques qui rêvent à l'abri du soleil. Quand elle visitait les siens à Noël, tous la reconnaissaient de loin avec ses toques de fourrure à la russe qui rehaussaient la rondeur juvénile de son visage, son teint de pêche et l'acier de ses yeux bleus.

On disait que Gabriel lui ressemblait beaucoup. C'était dans les manières et les traits du visage surtout. Les yeux, oui les yeux dessinés bien nets, le pourtour ferme et interdit de refuge à la fatigue. Le sourire aussi, aux lèvres généreuses qui, si souvent, tournait au rire, accentuait les pommettes et s'étiolait en petites rides sur les tempes. Et plus encore, leurs manières les trahissaient sans cesse. Ils marchaient de la même façon, d'une allure à la fois nonchalante, déterminée et féline. Et les gestes, enfin: des mains qui parlaient, jetaient de grands pans fugitifs qui retenaient un instant les mots, les images.

Bernadette balayait la passerelle du regard et Gabriel s'amusait à la voir fouiller les visages à sa recherche. Autour de lui, tous envoyaient la main ou faisaient de grands signes pour être reconnus. Envahi par le bonheur de la retrouver bientôt, il se fit le plaisir de la regarder en attendant qu'elle le repère. Elle en était à sa deuxième revue de la galerie quand elle l'aperçut enfin. Oui, c'était bien lui, ce grand efflanqué qui la dévisageait en souriant, un bras passé autour des épaules d'Andrée et la tête un peu penchée, comme pour dire: «Qu'attends-tu pour venir m'embrasser, ma petite sœur?»

Pendant un instant, elle resta là, sans bouger, portant toujours ses valises lourdes. Elle n'avait que deux semaines, deux petites semaines pour retrouver Gabriel, déterrer les trésors de l'enfance et en endimancher la tendresse pâlie par l'absence. Déjà, elle sentait le temps lui glisser des mains.

Puis, les gens derrière elle se mirent à s'agiter, la pressant de suivre la file vers la sortie.

Le plaisir, avec Bernadette, c'était autant les soirées à discuter de tout et de rien que les silences où chacun réfléchit au bonheur de l'autre. Et c'était aussi son parfum. Gabriel chercha au plus profond de ses souvenirs. Le parfum de Bernadette y rôdait, flottant dans ses alentours comme un voile maternel.

— Tu sens toujours aussi bon, Bernadette.

Le compliment, dit presque à voix basse, traversa le peu d'espace qui les séparait et se posa sur la nuque de la jeune femme comme une chaleur. Chacun à son bout du divan, ils allaient du visage de l'autre aux flammes vives qui éclaboussaient la pénombre tranquille du salon. Andrée était montée se coucher tôt, les laissant seuls au bonheur de leurs retrouvailles.

— Comme on est bien dressé! On se lave et on se frotte, on se frotte jusqu'à effacer l'odeur humaine. J'ai besoin d'avoir une odeur, je ne sais pas pourquoi. Peut-être pour ne pas m'égarer dans la multitude.

Gabriel respira profondément. Ce bouquet de fougère citronnée, il le reconnaîtrait entre mille, les yeux fermés.

— Pourquoi t'ai-je toujours aimée plus que les autres, ma p'tite sœur? Pourquoi sommes-nous si proches, toi et moi?

C'était plus une constatation qu'une question et

Bernadette se mit à y réfléchir en fixant la grosse bûche de bouleau que le feu caressait de grands embrasements bleus.

Leur mère avait eu trois filles, nées coup sur coup. Puis, au bout de quelques années était enfin venu ce fils que l'on n'attendait plus. Toutes l'avaient bercé, cajolé, Bernadette ni plus ni moins que les autres.

Elle devait avoir quatorze ans, oui, c'est ça; Gabriel avait fait son entrée à l'école cette année-là et leur maman, soudain, était tombée malade. Un mal sans nom ni plaie, que le docteur Thibeault avait simplement appelé «maladie de nerfs». Ils avaient tous été entraînés par le vent démonté de sa dépression nerveuse. C'était de cette époque que datait leur intimité. Ils ramassaient ensemble les éclats de leur tendresse esseulée. On apprenait à rire en silence, à prendre maison dehors, là où la vie gardait sa légèreté.

— Te souviens-tu de la dépression de maman, Gabriel? Ça doit bien avoir duré deux ans. Je crois qu'à partir de ce moment-là je t'ai pris sous mon aile. Tu étais bien jeune, alors...

Ils étaient tous jeunes, mais Bernadette se rappelait avoir vieilli bien vite pendant cette période. Un peu comme on abandonne un bateau qui sombre, elle avait déserté l'enfance sans se retourner et en s'accrochant au radeau de fortune de la solitude pour que la mer ne l'avale pas. Gabriel avait fait ce voyage avec elle, peut-être sans réaliser son déchirement, la fragilité de ce que l'on emporte avec soi quand le destin vous entraîne dans sa hâte. Ensemble, ils avaient bâti un refuge, partagé deux solitudes. Gabriel était un enfant tendre, à l'imagination fertile et heureuse; il avait été si facile de l'aimer.

Un vieux souvenir vint échouer aux pieds de Bernadette et, comme un chat fatigué, lui monta dans les bras sans déranger le silence. Elle sourit à la peine qu'elle avait eue alors. Où était aujourd'hui cette copine du village qui l'avait giflée en plein cœur parce qu'elle n'avait pas compris leur tendresse? «Si tu continues à couver ton frère comme ça, tu vas en faire une tapette.» Où était-elle? Ce soir, elle aurait marché des lieues pour lui cracher sa bêtise aux yeux.

— Au fond, Gabriel, je crois que, malgré notre différence d'âge, nous nous ressemblions beaucoup. Et puis, tu étais un enfant plus mûr que bien d'autres et moi, moi j'avais besoin de ta fantaisie pour vieillir plus doucement.
— C'est drôle que tu me dises ça; j'ai toujours pensé que j'étais un enfant renfermé et pas tellement bavard.
— En quelque sorte oui, c'est vrai, mais je pourrais en dire autant de moi. Je crois qu'il faut séparer le monde en deux, Gabriel. Il y a ceux qui parlent pour ne rien dire et il y a les autres...
— Oui, les autres, qui ont tant à se dire, enchaîna Gabriel en s'extirpant du divan, tout engourdi par l'haleine chaude du foyer et les ombres de la berceuse sur les murs. Je vais faire du café pendant que je t'ai pour moi tout seul...

Et il se dirigea vers la cuisine avec, dans ses yeux humides, l'immense bonheur de la savoir là.

«Tout est si simple et si lourd à la fois. Je vais retourner au salon, reprendre ma place et nos voyages entre les souvenirs et le présent. Je lui dirai encore, et pour rattraper le temps perdu, combien je l'aime, à mots retenus, par des phrases maladroites. Elle fera de même, épiant mes silences, avec son courage et la tendresse que je lui connais pour m'y être souvent réfugié. Puis je lui montrerai l'horloge brisée, la trahison de mon corps ensorcelé et de la vie infidèle. J'oublierai qu'elle s'en ira demain, j'oublierai qu'il me faudra partir le corps droit, la tête haute. Il faut que je lui parle de l'enfant.»

— Qu'est-ce que tu dirais si on allait prendre le café dehors. Il me semble qu'on serait bien sur la galerie. Et puis, j'ai quelque chose à te dire à propos d'Andrée.

Bernadette acquiesça. Gabriel la regardait, figé dans l'embrasure de la porte de la cuisine, enveloppé d'une raideur grave.

Les nuits de juin sont parfois pleines d'enchantement. La lune, insolente, dépouille alors le ciel, la douceur du jour s'évanouit dans les bras des labours et l'été attend aux portes du matin comme un amoureux éconduit.

Jusqu'aux franges du bois, le champ hébergeait la voile blanche de la lune et son sillage laiteux de froidure, à la manière d'un port accueillant.

La voix basse de Gabriel pénétrait le silence avec les accents sourds d'un orage encore lointain. Il avait rejoint son tourment en quelque endroit sur le trait noir des épinettes adossées à l'horizon.

— Savais-tu qu'Andrée et moi avions fait le projet d'avoir un enfant? Non, tu ne peux pas savoir, on n'a pas eu le temps d'en parler parce que... Parce que je ne suis pas «parti» pour vivre vieux.

Assise à ses côtés sur une marche du perron, Bernadette cherchait ses mots. La tristesse de son compagnon se dressait dans la solennité de cette nuit opaline

162

et, le dos arrondi, les bras autour des genoux, Gabriel berçait doucement son chagrin.

— Quand tu seras remis de cette maladie, vous pourrez de nouveau faire des projets.
— Cette «maladie», comme tu dis, c'est un cancer, Bernadette. C'est la mort qui me coule dans les veines et m'empoisonne à petit feu... Et Andrée veut un enfant malgré tout...
— C'est un désir bien légitime, Gabriel, le rêve d'à peu près toute les femmes, je crois.

Tout en continuant à se balancer lentement d'avant en arrière, il posa ses yeux embrouillés sur elle. Il ne lui cachait rien, étalait sans pudeur cette détresse qu'il savait si bien taire dans le quotidien.

— Et toi, tu n'as pas rêvé d'avoir un enfant? dit Bernadette à voix basse.
— Si j'en ai rêvé?... Mon Dieu, Bernadette! Il faut que tu réalises que je n'ai pas le choix, c'est la mort qui a choisi pour moi...

De nouveau, il se détourna pour parler au silence édifié sur la terre. Sa voix tremblait.

— Je n'ai pas pu me résoudre à faire un enfant avec le doute au cœur. Les imaginer lui et Andrée, tout seuls, me rend malade! Mais, si tu savais ce que ça peut représenter pour Andrée! Elle m'a dit que, de toute sa vie, elle n'avait jamais rien désiré autant. Et c'est bien ce qui me fait peur... Étant donné ce que nous vivons tous les deux, je me demande si ce n'est pas le désespoir qui la pousse à vouloir cet enfant à tout prix. Je voudrais bien le lui donner, si tu savais, Bernadette, comme j'aimerais le lui donner, cet enfant.

La main de Bernadette, comme le vent qui se plaignait dans la futaie, traversa la nuit et vint s'émouvoir sur la tempe de Gabriel.

— Tu ne peux vraiment pas? Je veux dire... Moralement, tu ne peux pas?

— C'est au-dessus de mes forces, comprends-moi. Qui sera là pour eux? Je voudrais n'avoir jamais existé.

Il enfouit sa tête dans l'enclave de ses bras et pleura en silence, recroquevillé sur son amour trop grand. Pourtant, comme il eût aimé, tant aimé, lui donner cet enfant.

— Il m'arrive de rêver que je la prends dans mes bras, que je la dépose sur notre lit, que je m'allonge sur elle. Les yeux tout grands ouverts, j'imagine que l'avenir nous appartient. Je lui fais l'amour lentement, en m'accrochant à son regard pour tout lui dire, tout lui donner: mon souffle et mon sang, mon amour, mes rêves et le monde que je voudrais bâtir jour après jour pour elle et pour notre descendance... Mais la réalité me rattrape, je me sens lâche et fort à la fois, égoïste et raisonnable. Quel est le bon chemin, Bernadette? Je te parle d'une vie, de celle d'un enfant que j'abandonnerais à lui-même sans autres points d'ancrage que de vieilles photos ou quelques chemins de bûchage au fond des bois. Ce n'est pas un héritage, tu le sais, toi. Dis-moi, aurais-tu désiré cela pour ton fils? J'ai trop peur, et la peur, c'est comme la mort: c'est le vide, le néant.

Bernadette s'approcha pour l'entourer de ses bras et dériver avec lui dans le désert des absents.

— Arrête de te faire du mal avec ça, Gabriel. Tu fais

ce que tu crois être le mieux. Tu es seul juge et c'est tout ce qui compte.

Si Bernadette pouvait dire vrai: il était seul juge et personne ne savait mieux que lui ce qu'il fallait prendre et laisser, donner et recevoir d'une vie et de l'amour. Mais il y avait les indomptables soubresauts du corps et de la mémoire, cet instinct rebelle qui vous colle à la peau, se terre au creux de chaque cellule et navigue dans les ténèbres à la recherche d'une descendance! Il y avait le regard suppliant d'Andrée, ses mains qui le cherchent et l'appellent au chevet de l'amour inquiet. Il y avait ses seins dressés par le désir et la déroute; ses hanches n'abritant plus le repos des vagues et des marées; sa bouche haletant dans une soif inassouvie; sa chair féconde, enfiévrée, demandant qu'on l'inonde des promesses d'un fruit à venir.

— Est-ce que je t'ai déjà dit qu'Andrée m'avait fait homme? Je ne sais pas qui j'étais avant de la connaître, peut-être une moitié d'homme... Être un homme dans les yeux d'une femme, c'est merveilleux, tu sais. Mais être un homme devant la mort, c'est si difficile...

Malgré l'ensorcellement de cette nuit de juin, l'amour n'en finissait plus de pleurer ses sacrifices.

Tout au long de la messe, Bernadette, assise sur un banc derrière eux, les avait épiés. Sa dernière visite dans une église remontait à plus d'un an. Le peu de fidèles disséminés ici et là dans la maison de Dieu lui démontrait qu'elle n'était pas la seule à avoir abandonné la pratique religieuse.

Sa sœur Marie était assise au milieu du banc entre ses parents. Elle était grande, Marie. Elle dépassait d'une bonne tête leur mère Rita et, elle était de la même taille que Lucien à quelques cheveux près.

Bernadette avait vu sa mère sangloter parfois durant l'office. Elle avait tellement changé depuis sa dernière visite que Bernadette s'inquiétait, se demandait même si elle n'était pas malade. Était-ce le chagrin qui avait fait de sa mère cette femme déjà vieille? Cet être frêle, aux traits tirés et au regard morne? Le chagrin doit être si lourd quand il porte le nom d'un fils...

Marie, droite comme un pan de mur, était tout l'opposé de sa mère, repliée sur elle-même, épaules rondes et tête basse.

Secrète Marie. Elle menait sa barque, homme et enfants avec une poigne de fer. Le travail, de bons principes chrétiens et la méfiance étaient ses règles sacrées. Où avait-elle acquis cette autorité convaincue? Cette inébranlable certitude que la vie est un purgatoire et que la somme de ses souffrances peut vous épargner les tourments de l'enfer? Et la méfiance?

Qu'est-ce qui avait bien pu rendre le monde aussi mauvais à ses yeux?

Le curé conviait ses ouailles à la communion. Tous trois, le père en tête, remontèrent l'allée, prenant une attitude de recueillement sourd au brouhaha des bancs qui se vidaient.

Bernadette ne bougea pas malgré le regard de Marie qui, répondant à l'appel, l'avait toisée du haut de sa sainte piété. Pour Bernadette, l'eucharistie était un geste spirituel et elle le vivait ainsi depuis longtemps, n'éprouvant aucun remords de ne pas accomplir toutes ces simagrées.

Son père revenait le premier, sa belle tête grise accordée à la raideur de la circonstance. Il avait l'air un peu à l'étroit dans son habit noir et Bernadette, comme chaque fois qu'elle le voyait vêtu de la sorte, s'émut de ses allures de paysan endimanché.

Se glissant dans le banc, il se pencha vers elle et lui dit à voix basse:

— J'ai affaire à t'parler. Arrange-toi pour venir me rejoindre au moulin après la messe.

Il attendit le signe de tête de Bernadette et s'en retourna à ses dévotions, agenouillé sur le prie-Dieu.

Dans l'église, elle avait eu l'impression d'être une petite fille pendant un instant. La petite fille de Lucien Blanchet, l'homme aux paroles rares, perdu, inaccessible dans ses lointaines et sérieuses occupations. Cela n'avait duré qu'un moment, le temps de baisser la tête, puis la curiosité avait commencé la ronde des «pourquoi?».

Le lourd parfum de la sciure de bois l'attendait à la porte du moulin. Des années qu'elle n'avait pas mis les pieds là et, pourtant, c'était hier. La «débouleuse», le tapis emportant les billes, l'équarisseuse, avalant les rondeurs dans un vacarme d'enfer...

Un bruit lui parvint du bâtiment; elle aperçut son père qui cognait à la fenêtre du bureau pour qu'elle l'y rejoigne.

— Assis-toi, lui dit-il, en s'écrasant sur la chaise de son bureau.

Paperasse empilée un peu partout, outils et vêtements accrochés aux murs, le petit bureau étouffait dans un désordre où seul son père arrivait à se retrouver.

Bernadette s'assit en face de lui de l'autre côté du bureau. Il faisait sombre dans la petite pièce sans fenêtre et le silence inhabituel semblait épier chacun de leurs gestes.

— Comment ça va, le moulin?

Elle lui posait cette question chaque fois qu'elle venait à Saint-Christophe. Comme d'habitude, il lui répondit que le travail ne manquait pas. Pourtant, Bernadette lui trouvait un air soucieux et fatigué. Et, surtout, elle était curieuse de savoir pourquoi il lui avait donné ce rendez-vous presque clandestin.

— Quand est-ce que tu penses arrêter, papa? Tu dois bien avoir des idées de retraite, maintenant.

Lucien Blanchet n'avait jamais discuté de ses affaires avec elle, probablement avec aucune autre de ses filles d'ailleurs. Il n'était pas le genre d'homme à mêler travail et famille, sauf dans le cas de Gabriel, à qui il avait pensé léguer son bien. Mais surtout, surtout, il n'avait que faire des conseils des autres. Cela pouvait ressembler à du mépris, mais Bernadette le soupçonnait plutôt d'être trop orgueilleux.

— Avec ce qui arrive à Gabriel, ça m'a forcé à réfléchir. Il va falloir que je regarde pour vendre à un étranger.

À le voir se frotter le visage à deux mains comme pour chasser une lassitude assommante, Bernadette se rendit compte que cet accroc à une succession qu'il planifiait depuis longtemps le dérangeait beaucoup. Quand il posa ses grandes mains calleuses en se penchant au-dessus du bureau pour lui parler de plus près, la tristesse tirait sur ses joues et lui donnait des années qu'il ne portait pas d'habitude.

— J'ai de la peine aussi pour Gabriel; je te le dis au cas où tu croirais que je ne pense qu'à mon moulin. Mais c'est pas de ça dont je veux te parler. C'est à propos de ta mère.

Il avait dû lui en coûter beaucoup de faire cette confidence au sujet de Gabriel, lui qui ne montrait jamais ses faiblesses. Un grand élan d'affection vint mourir dans les bras de Bernadette, qui refoula son envie d'aller étreindre cet homme maladroit.

— Est-ce que maman est malade? J'ai trouvé qu'elle n'avait pas l'air tellement bien.
— Non non, elle n'est pas malade, c'est le moral qui va pas. À cause de Gabriel, tu te doutes bien.

Bernadette avait envie de lui répondre que c'était

normal. N'importe quelle mère aurait été abattue dans les circonstances. Mais son père enchaîna, pressé de lui faire savoir son souci pendant qu'ils étaient seuls.

— Ta mère m'inquiète, je sais pas comment te dire ça, c'est... C'est que j'ai peur de pas pouvoir la ramener, cette fois.

— La ramener? Explique-toi, papa, je ne te suis pas.

— Ben oui, la ramener. Tu sais combien ta mère est sensible, elle est déjà tombée bas à cause de ça. Ben, cette fois-ci, je sais pas si elle va s'en sortir avec tous ses morceaux.

Encore une fois, la gaucherie de son père émut Bernadette.

— Écoute, papa, c'est normal qu'elle se sente déprimée. C'est juste que, comme tu dis, maman est une femme sensible. On n'apprend pas ce genre de nouvelle sans être secouée.

Voilà qu'il hochait la tête avec l'air de dire: «Tu n'y es pas du tout, ma pauvre fille.»

— Je comprends tout ça, Bernadette, qu'elle soit triste pis déprimée, je le sais que ça peut pas être autrement. Mais le problème, il est pas là. Le problème, c'est qu'elle a décidé de se laisser couler, tu comprends? Pis y'a Marie, qui lui rend ça facile avec ses «maudites» pilules!

Bernadette n'y comprenait plus rien. Qu'est-ce que Marie venait faire là-dedans? Et soudain, l'évidence se dessina d'elle-même. Mais oui, sa mère avait changé, tellement changé que Bernadette avait à peine osé s'en approcher, comme si elle avait été gênée par son étrangeté. Des yeux hagards, quand ils ne pleuraient pas, une lenteur dans les gestes et le discours, comme si elle avait perdu le rythme du quotidien. Et cette indifférence... Bernadette revoyait son arrivée à la maison, la moitié d'un sourire, pas un élan pour effacer l'absence ennuyeuse, pas même une lueur dans les yeux.

— Faut faire quelque chose, Bernadette. Je lui en ai parlé, tiens, pas plus tard qu'à matin. Mais elle ne veut rien entendre; y'a juste Marie qu'elle écoute.

— C'est quoi, cette histoire de pilules? Et pourquoi est-ce Marie qui lui en donne?

Il ouvrit les bras en haussant les épaules; tout cela le dépassait, le rendait tellement bête d'impuissance.

— Marie la bourre de calmants. Me demande pas où elle les prend! En tout cas, c'est pas des p'tites pilules ordinaires. Ta mère dort presque toute la journée, pis la nuit, elle se promène comme une âme en peine dans la maison ou bien elle passe des heures assise dans le noir sans broncher. Vu du dehors, ça paraît pas. Tout a l'air normal. Marie vient faire du ménage pendant que je suis au moulin pis, quand je rentre le midi et le soir, le repas est sur la table. Elle s'occupe de faire tourner la maison comme si de rien n'était.

— Si je comprends bien, Marie lui donne des calmants beaucoup trop forts et maman ne veut rien entendre quand tu lui en parles?

Son père opina dans un grand soupir de désespoir.

— Mais pourquoi tu laisses Marie faire ça, papa? Lui as-tu dit ce que tu en pensais?

Quand il avait parlé à Marie, elle lui avait craché sa

faute au visage. Pas d'injures, pas de cris, mais tant de reproches dans le ton sec et intransigeant, tant d'accusations dans les sous-entendus.

— Je lui en ai parlé, mais tu sais comment elle est, Marie; c'est tout ou rien, et y'a pas de r'venez-y.
— Oui, oui, je sais, elle a des jugements qui sont difficiles à suivre parfois, mais elle doit tout de même t'avoir donné une explication.

Lucien se mit à chercher ses mots, ceux que l'on peut dire sans réveiller les vieilles blessures. Puis il regarda Bernadette, son air calme, la sérénité qu'elle dégageait. Il avait beau ne pas la voir souvent, être bien loin d'elle, de ses peines, de ses joies: jamais il n'avait autant eu l'impression qu'elle le comprenait.

— Ta sœur est convaincue que ce qui arrive est ma faute. Je sais pas comment te dire ça... Tu dois te rappeler, quand ta mère a fait sa dépression nerveuse?

Bernadette hocha la tête pour l'encourager à continuer.

— Marie pense que si je m'étais occupé de ma femme comme il faut dans ce temps-là, ça ne serait pas arrivé. C'est pour ça qu'elle a pris les choses en main et qu'elle a décidé de la soigner à sa façon.
— Et toi, papa, qu'est-ce que tu en penses?

Il était heureux qu'elle le lui demande, pas parce qu'il avait une foule d'explications à donner, mais pour le soulagement. Et puis, c'était une vieille histoire, quelque chose qui lui avait fait bien mal, à lui aussi. Il savait seulement qu'il avait essayé de faire de son mieux avec sa sincérité et ses maladresses.

— Je sais que tu ne me juges pas à propos de ce que j'ai fait ou de ce que j'aurais dû faire. Je le sais parce que ça paraît, ces choses-là, et pis on le sent quand quelqu'un vous cache des reproches. Je voudrais bien t'expliquer ce qui s'est passé quand ta mère a fait cette dépression et pourquoi c'est arrivé, mais, vois-tu, je ne le sais pas très bien moi non plus. Dans la même année, une de ses sœurs est morte. Il y a eu aussi le p'tit qui est rentré à l'école. Elle perdait son bébé, son dernier; la maison a dû lui paraître bien grande, bien vide.

— C'est vrai que maman était très proche de Gabriel quand il était petit. Je me rappelle qu'elle le cajolait tout le temps.

— Oui, elle l'a bien dorloté, cet enfant-là. En tout cas, quand j'y repense aujourd'hui, je me dis que j'aurais peut-être dû faire encore plus, mais, qu'est-ce que tu veux! J'avais mes tracas avec le moulin. Les affaires étaient pas faciles dans ce temps-là. Et pis, tout ça c'est du passé.

Et il balaya le dessus de son bureau du revers de la main comme pour faire place nette au présent.

— Veux-tu que j'aille voir Marie et que je lui en parle?

— J'osais pas te le demander. Je sais que ça doit pas être drôle pour toi. C'est pas le genre de chose qu'on aime faire quand on vient visiter la parenté. Mais moi, j'ai tellement de misère à lui parler... Pis, je sais plus trop quoi faire...

Bernadette ne se sentait nullement troublée; cette démarche serait peut-être l'occasion de faire le point avec sa sœur, avec Marie, l'aînée, celle que personne n'osait contredire, celle qui jugeait son entourage et le monde entier sans jamais porter un regard sur ses propres faiblesses.

— Je vais passer la voir, tu peux compter sur moi, papa.

Dehors, le ciel du midi virait au chagrin. Toute une procession de nuages sombres barrait l'horizon et un prélude d'orage faisait danser la poussière en petits tourbillons furtifs.

— Tu viens manger à la maison? demanda-t-il sans trop de conviction, sachant bien que Bernadette était attendue ailleurs.

— Non, je te remercie. Je dois retourner chez Gabriel, je leur ai dit que je reviendrais pour dîner.

Ils traversèrent la cour du moulin d'un pas lent dans le silence lourd de leur complicité. Arrivée à son auto, Bernadette jeta un coup d'œil à la maison de Marie, de l'autre côté de la rue.

— Ne t'inquiète pas, je suis sûre que tout va s'arranger, papa. Tu diras bonjour à maman pour moi.

Il enfonça les mains dans ses poches et releva les épaules, comme s'il avait eu froid tout à coup.

— J'espère que ça va marcher. Ta mère commence à me faire peur, dit-il à voix basse. Et pis, en vieillissant, on dirait que le monde vire de bord. On n'a plus la force de se battre, pis y'en a qui ont l'air de prendre bien du plaisir à nous mener comme si nous étions redevenus des enfants. Ouais, c'est ça, des enfants qu'il faut mettre à sa main.

Si cette phrase avait été une pierre, elle aurait fracassé les carreaux de quelque fenêtre de la maison d'en face.

Après mûre réflexion, elle s'était dit que le meilleur moment pour rendre visite à Marie devait être l'avant-midi. Les enfants seraient tous à l'école et Réjean, le mari de cette dernière, serait en train de gagner sa croûte au moulin.

L'image indécise de son beau-frère l'accompagna tout au long du trajet entre le rang de la Rivière et Saint-Christophe. Il lui était aussi étranger qu'un voisin de banlieue: salutations polies et, à la prochaine indifférence! Bernadette se demanda si, au moins une fois, ils avaient échangé plus de deux phrases ensemble. Elle avait beau chercher, tout ce qu'elle avait comme souvenir de lui était son sourire embarrassé et le malaise qu'il lui inspirait en baissant les yeux quand elle l'approchait.

Plus elle y pensait, plus elle se disait qu'il devait faire un époux parfait pour sa sœur. Marie était si volubile, imposante autant de stature que de présence. Réjean, frêle comme un bouleau de bas-fond, ne semblait exister que par le prolongement de sa femme. Une ombre, ni plus ni moins.

Les signes du temps n'entraient qu'à petites doses chez Marie: pas de meubles modernes, pas de couleurs sur les murs et toujours ces draperies lourdes et foncées qui confondaient la course du jour. À part le petit châssis au-dessus de l'évier dans la cuisine, celui qui donnait sur la cour du moulin, le monde pouvait fleurir ou grelotter, on n'en savait rien dans cette maison.

Comme à son habitude, Marie la reçut à grands flots de paroles.

— Viens t'asseoir. As-tu le temps de prendre une tasse de café? Je viens d'en faire. Je ne t'attendais pas à matin. Tu fais ta visite paroissiale?

Bernadette prit une chaise, s'assit à la table de la cuisine et regarda Marie s'affairer à ses chaudrons tout en servant le café. La nervosité de sa sœur lui faisait pitié. Comment peut-on vivre avec autant de précipitation?

— Je suis venue te parler de maman.

Autant que tout fût clair dès maintenant: Bernadette n'avait aucune envie de passer l'avant-midi à tourner autour du sujet, entre les commérages et les banalités.

L'appréhension de Marie se manifesta par un léger mouvement de recul. Elle avait fait un pas en arrière et, sans parler ni bouger, attendait, perplexe...

— Maman n'est plus la même, je ne l'ai presque pas reconnue en arrivant. Ça m'inquiète beaucoup de la voir comme ça.

Bernadette avait mis toute l'innocence possible dans sa phrase. Il fallait qu'elle parvienne à amadouer la méfiance de Marie.

— Tu comprends bien que la maladie de Gabriel, ç'a été tout un choc pour maman, lui dit Marie en retournant au refuge de ses chaudrons.
— Oui, c'est pas facile à accepter, je le sais, mais crois-tu qu'elle va s'en sortir?

Marie répondit par un grommellement vague, puis se mit à sonder sa sœur de loin. Tout en brassant un ragoût qui mijotait sur le feu, elle lui jeta de petits regards pointus à travers la vapeur qui s'échappait de la marmite.

— Écoute, Marie, maman m'inquiète vraiment et je trouve ça étrange, toutes ces pilules qu'elle prend...

Voilà, l'appréhension prenait forme, tombait sur Marie comme un nuage qui crève.

— C'est papa qui t'a dit de venir me voir?

Bernadette lui répondit qu'ils en avaient vaguement parlé et n'ajouta rien d'autre sur leur entretien de la veille au moulin. Elle lui fit remarquer qu'elle n'était pas aveugle, qu'une personne ne sombre pas dans un état de demi-conscience sans raison.

— Pourquoi lui donnes-tu tous ces calmants? Ça n'a pas de sens, elle a l'air d'un fantôme...
— Je sais ce qu'il faut pour elle.

Est-ce que c'était une réponse? Ça ne pouvait pas être une réponse, mais c'était bien là le genre de réflexion que sa sœur pouvait servir du haut de son grand savoir. La colère se mit à cogner aux oreilles de Bernadette avec un bruit sourd. Elle saisit son café et l'avala d'un trait. Il y avait si longtemps qu'elle ne s'était pas emportée... Cette cohue fielleuse la surprit et lui fit un peu peur.

Elle récita mentalement l'alphabet, disant les lettres l'une après l'autre jusqu'à ce que son malaise se dissipe. Elle utilisait cet exercice depuis longtemps. Il fonctionnait dans le cas des gros chagrins, des envies subites de pleurer aux mauvais endroits. Alors, peut-être que la colère aussi y perdrait son chemin.

Avec soulagement, elle arriva à la lettre z et sentit revenir le pouvoir de diriger sa pensée. Son esprit était clair et froid; elle était prête à tous les subterfuges pour arriver à coincer Marie au bord de la vérité.

— Ça ne me satisfait pas comme explication; je veux savoir pourquoi tu joues au médecin comme ça.
— Jouer au médecin! Jouer au médecin! Tu pousses un peu fort, là.
— Ce n'est pas moi qui pousse. Traverse la rue, va chez maman et t'auras en face de toi une droguée.

Marie était prise au piège. Ou bien elle se fâchait et montrait la porte à Bernadette, ou bien elle rusait en essayant de la rallier à sa cause. Mettre sa sœur dehors lui parut dangereux. Telle qu'elle la connaissait, elle était à peu près certaine que Bernadette courrait ameuter le docteur Thibeault, le curé et qui d'autre encore? Les Services sociaux, peut-être? En fait, autant de gens qu'il faut pour ériger un bûcher et vous immoler.

— C'est pourtant pas compliqué. Maman fait une dépression, et moi, je l'aide du mieux que je peux.
— Parce que la bourrer de calmants, ça peut la soigner? Si maman fait une dépression, comme tu dis, ne crois-tu pas qu'elle devrait consulter un spécialiste?
— T'exagères, Bernadette! Ce que je lui donne, c'est ce que m'a conseillé le pharmacien. Tu veux un spécialiste? Ben t'en as un, là! Un pharmacien, ça doit connaître son affaire, non?

Marie était fière de sa réplique. Sa petite sœur

voulait qu'on consulte l'autorité médicale? Eh bien, elle avait sa réponse.

— Quel est ce pharmacien qui se permet de distribuer des calmants sans ordonnance?

— Un cousin de Réjean. Écoute, je lui ai tout expliqué pour maman. Il sait ce qu'il faut faire dans ces cas-là, répondit Marie, soudain conciliante.

Bernadette sentit son courage l'abandonner. Elle avait l'impression d'avoir reculé d'un demi-siècle. Isolés dans leur campagne, il suffisait aux gens de connaître le nom de deux ou trois élixirs pour soigner tout leur monde.

— Voyons, Marie, on ne soigne plus les gens de cette façon. Ça se faisait dans le temps de nos grands-mères, mais plus maintenant. Il faut que maman voie un médecin. Tu ne peux pas prendre le risque de la laisser sans soins appropriés. Te rends-tu compte que le fait de la maintenir sous l'emprise des calmants lui enlève tous ses moyens, toutes ses forces pour envisager la réalité.

— C'est là que tu te trompes, ma chère. On dirait que la mémoire te fait défaut. Si tu y pensais deux minutes, tu comprendrais que j'essaie simplement d'éviter une situation qui a déjà failli lui coûter la raison.

— Tu fais allusion à la dépression nerveuse qu'elle a faite quand nous étions jeunes?

— Pas tant à sa dépression qu'à la «maudite» indifférence de notre père.

Voilà. Bernadette touchait le cœur du problème. Marie, à grandes enjambées, l'avait rejointe et, les mains appuyées sur la table, la dévisageait du haut de sa vieille rancœur.

Puis elle se mit à lui cracher les mots, comme des pierres pointues, des petits morceaux de haine qui se détachent du cœur en le lacérant tandis que d'autres germent encore dans l'humus bouleversé.

Elle traitait son père de salaud, un fin salaud qui trafiquait la réalité pour cacher son égoïsme véreux, un sans-cœur déguisé en bon père de famille, retraité dans sa besogne et sourd à la détresse.

Elle lui vomissait tout cela dans le souffle restreint des mots. C'est à ce moment que Réjean entra dans la maison. C'était l'heure de la pause au moulin et il venait chercher sa collation, qu'il avait oubliée le matin.

Marie se détourna à peine et lui jeta un œil mauvais.

— C'est dans le frigidaire. Le sac en papier brun. Une pomme pis du fromage, vas-tu en avoir assez?

Réjean n'avait pas le choix, c'était dit d'un ton qui ne supportait pas la réplique. Il alla chercher son lunch et salua timidement Bernadette sans s'attarder comme un enfant qui s'en va purger sa punition.

Bernadette saisit cette diversion pour tenter de ramener Marie sur la nécessité de faire soigner leur mère correctement.

— Je comprends que t'en aies beaucoup sur le cœur au sujet de papa. On ne peut pas dire qu'il nous ait inondés de tendresse, c'est vrai. Mais, écoute, Marie, ce qui s'est passé dans ce temps-là, c'est du passé. Et puis, tu ne peux pas prendre sa place, le pousser dans un coin et dire: «Voici, je pense que tu n'es pas à la hauteur de la situation, écrase-toi là, je vais soigner le chagrin de ta femme et tu te relèveras quand je jugerai qu'elle peut affronter la réalité.» Tu ne peux pas faire ça, même si je sais que tu as les meilleures intentions du monde.

La colère de Marie tomba et, avec elle, toute l'armure d'une guerre de mal aimées. Elle tira une chaise et s'assit, pleine de fatigue et de tristesse. En étendant les mains sur la table, elle laissa échapper un grand soupir, comme si tout cela était vain et demandait trop de courage. Elle fixait les carreaux de la nappe, y cherchant la route qui, hier, donnait un sens à sa lutte, bornait ses pas à un bonheur qu'elle avait appelé vengeance.

— Le détestes-tu à ce point? demanda Bernadette tout doucement pour la rejoindre dans les tourments de son enfance décriée.
— Le détester? Je ne fais que lui rendre ce qu'il m'a donné. Tu penses que je le déteste. Si tu savais comme j'aimerais le haïr autant que je l'ai aimé.

Oui, elle l'avait aimé, bien trop aimé. Lui qui avait le jugement si sûr, lui qui mesurait les autres d'un coup d'œil et s'en retournait en les laissant à leurs joies ou à leurs peines, sans plus. Qu'avait-il donné en retour de ces années de docilité et d'admiration? Rien. Rien que le choix de réussir ou de gâcher sa vie.

— J'ai tellement peur qu'il fasse encore du mal à maman. C'est pour ça que j'essaie de la protéger de mon mieux.
— Je comprends.

Un peu plus tard, et parce que le temps rattraperait le quotidien, ramènerait les enfants de l'école, Marie se leva et, en se dirigeant vers le téléphone, demanda à Bernadette quand elle devait retourner à Vancouver.

— J'appelle le docteur Thibeault pour prendre un rendez-vous avant que tu repartes. J'aimerais ça que tu sois là.

L'été s'était langui au creux de grands jours chauds. Peu de pluie, si peu qu'on s'étonnait de voir monter les nuages. Et, dans ce pays qui se mesurait aux quatre coins du vent, un été sec amenait des orages excessifs, trop longtemps contenus.

Il y en avait eu un, au beau milieu d'août et de tout ce qui s'enorgueillit de mûrir. Une tempête dressée dans les mâtures du ciel, jetant sa fureur sur la rêverie d'un été engourdi. Personne ne l'avait vue venir ou, du moins, n'en avait pressenti la folie. Et elle avait frappé au grand jour, maquillée de nuages blêmes, maladifs.

Au début, la tempête avait chargé avec le vent. Un vent plein sud. Et ils étaient plusieurs, hommes aux champs, pêcheurs, un pied sur la rive et l'autre dans la lune, à se demander d'où venait ce grand souffle égaré. C'est que, dans ce coin de pays il ne vente pas du sud. Le vent du sud, c'est un souffle chaud, arachnéen, une caresse tranquille et sans malice.

Soudain, la tempête bouscula tout sur son passage à une vitesse démentielle, avec l'intensité d'une condamnée. Ce n'était même plus du vent, c'était un monstre déchaîné: des toits soufflés comme de la chaume légère, des épouvantails arrachés à leur jardin, des arbres tout entiers dépossédés jusque dans leurs racines. De sa grande main aveugle, le vent fou grappillait ici et là son dû, nanti de ce pouvoir sublime qu'ont ce que l'on appelle les «actes de Dieu». Et pour achever la colère de l'orage, le ciel s'était jeté sur la proie. Pluie et grêle avaient mordu le champ d'avoine tendre, écrasé les beaux carrés d'orge dans l'épiaison de leur promesse. Le tonnerre était venu signer cette œuvre de démence de sa griffe flamboyante et impétueuse: des éclairs si violents et grandioses qu'on ne pouvait, malgré les ravages et la peur, s'empêcher d'admirer.

Gabriel aimait et détestait les orages tout à la fois et avec le même bonheur. Ils étaient des enfants de l'été, tels de petits chardonnerets piaulant dans l'aubépine, comme la nuit des vœux et des étoiles filantes. Et quand l'orage s'en prenait aux biens de l'homme, Gabriel laissait échapper quelques jurons, puis retroussait ses manches, se souvenant qu'il n'était pas le maître du monde.

***

Derniers jours de septembre. Tout donnait et la terre, délivrée de ses bontés, allait se retirer dans le silence de ses flancs vides. «J'aurais aimé mieux mourir au printemps... Non, c'est vrai, ça m'aurait fatigué de voir venir le redoux sans pouvoir faire les sucres.» Assis dans sa berceuse à la fenêtre de la cuisine, Gabriel suivait le tracteur de monsieur Leduc qui labourait le champ. Le ciel était au voyage et il appréciait ces gros nuages bleus et blancs cherchant leur route comme la mer ses rivages. Parfois, le soleil trouvait un entrebâillement et faisait furtivement une grande éclaboussure de gaieté comme un enfant qui se sauve des bras de sa mère en riant.

Il avait toujours été sensible à ces spectacles à la fois grandioses et familiers. Peut-être parce que, secrètement, son corps lui disait qu'il devait se hâter d'en jouir. Plus que tout autre. Et il avait eu faim de tout ce merveilleux servi à la grande table de la vie: les saisons, la terre et les bêtes, les hommes et l'amour.

La lettre de Bernadette posée sur ses genoux lui ramena le visage de cette sœur qui, par-delà l'interminable plaine et les hautes montagnes de l'Ouest, veillait sur leur tendresse fidèle. Il prit la feuille de papier et chercha le passage où elle lui parlait de revenir lorsqu'il le souhaiterait.

«Tu peux m'appeler n'importe quand, la nuit comme le jour; un avion décolle pour Montréal toutes les heures. Et, si tu me le demandes, je sauterai dans le premier qui partira.»

Quand Bernadette était repartie pour Vancouver, elle avait dit à Gabriel tout cela, les bras autour du cou, le corps tremblant dans l'étreinte où ils s'étaient bercés, là au milieu de la foule, parce que les mots n'avaient plus de sens.

Gabriel repensa à cette nuit de pleine lune, en juin, où ils avaient discuté assis sur une marche du perron. Il lui avait parlé de l'enfant qu'Andrée voulait tant, de ses peurs et de ses doutes. L'amour est bizarre, tellement déraisonnable parfois: «Donne-moi descendance, donne-moi un fils, implore-t-il, je suis l'amour, l'amour et je veux jalonner l'éternité de ta mémoire.»

Gabriel porta son regard vers la fenêtre en hochant la tête. Non, tout cela était derrière lui maintenant, il ne voulait plus y penser, s'en tourmenter le cœur et la conscience.

«Je suis si fatigué, s'entendit-il murmurer. Qu'est-ce

qui est sensé? Qu'est-ce qui est déraisonnable? Je ne le
sais pas même si j'ai aimé comme un fou.»

***

Le tracteur s'était immobilisé. Monsieur Leduc en
descendit et Gabriel suivit ses pas jusqu'à la rigole. Il le
vit s'installer pour uriner.

Au beau milieu du champ, cet homme prenait toute
sa valeur, celle qu'il savait dormant au fond de lui-
même, bien tassée dans un coin par l'indifférence des
jours. Et il se demandait: «Qui a dit qu'il existe un Bon
Dieu pour chacun? À moins que le mien ne soit celui des
pauvres?» Ses récoltes, tout juste engrangées, détruites
par le feu; ce virus au nom si étrange, qu'il vous glace le
dos rien qu'à l'entendre prononcer et par la faute duquel ses vaches mouraient comme de pauvres mouches
dans une flaque d'eau; sa progéniture, encore: un fils de
vingt ans, le seul, plus paresseux qu'un vieil âne, exi-
geant qu'on lui donne tout, de l'essentiel au superflu,
parce qu'on l'avait mis au monde sans lui demander
son avis. Toutes ces malédictions n'en finiraient donc
jamais de lui gruger le cœur et les os?

Si au moins il avait su aimer, aimer comme ceux-là
qui frémissent en espérant la nuit, qui voyagent, légers,
l'autre dans les yeux, le sourire flottant jusque dans le
dos. Parce qu'il était un homme malheureux, et de
malheur tranquille, il se prenait à rêver d'amours illu-
minées, de passions folles. Ses champs étaient à la
mesure de ses chimères. Il redressait les épaules, cherchait la face du vent et, fermant un peu les yeux,
imaginait la morsure du désir et toute une vie suspen-
due à l'effluve de l'autre. Puis, il tournait le dos à la
bourrasque, serrait les poings pour endormir la tris-

tesse de ses bras vides et jetait sa solitude hantée dans la terre. Labourer, semer, moissonner et couver la glèbe: tout ce que l'amour ne lui rendait pas, c'est à sa terre qu'il en faisait don. Et, pour elle, Alphonse Leduc était un amant tendre, la caresse et le verbe enflammés, renouvelés au rendez-vous de chaque printemps. On disait de lui qu'il était le meilleur céréalier du canton, qu'il pouvait faire «rendre» un champ de roches et que le Seigneur Tout-Puissant devait bénir chacune des semences qu'il mettait en terre. Mais, ce Bon Dieu, il l'avait oublié depuis bien longtemps. Pourquoi aurait-il continué à Le servir? Sa femme, image vivante de la sainteté, le faisait pour lui. Ce Bon Dieu, Il lui avait pris sa maîtresse et tout ce que l'amour absout dans sa grande clémence. Et puis, sa femme pouvait bien n'être qu'à ce Seigneur avide de sacrifices, il ne se brûlerait plus le cœur avec toutes ses éternelles prémonitions d'enfer. Il s'était résigné vite et sans trop de révolte, c'est vrai, mais on abandonne facilement quand la lutte vous fait larve devant l'incommensurable. Que pouvait-il? Lui, la graine du péché, pauvre étourdi, que pouvait-il devant cet administrateur du salut mesurant les fautes écrites d'avance dans la solitude de sa chair? Et même si sa femme accueillait chaque malheur comme un châtiment, lui disant qu'il méritait cette colère, il n'en avait que faire. Et elle pouvait bien lui prédire son enfer, continuer à vénérer Dieu, Lui offrir toute son âme et ses pensées, Alphonse Leduc avait appris à vivre à l'ombre de l'oubli, cherchant le soleil dans la terre noire et grasse de ses champs.

Gabriel le vit rajuster son pantalon puis allumer une cigarette en s'appuyant sur le tracteur. Il le savait de triste compagnie, fermé et taciturne comme la pénombre d'un sous-bois, mais, en même temps, il avait la conviction profonde qu'il pouvait compter sur cet homme quoi qu'il arrivât. Ce dernier le lui avait fait savoir ce fameux soir où il était allé frapper à sa porte et avait demandé son aide pour retrouver Esther égarée en forêt. Alphonse Leduc avait «ramassé» un manteau et son fils qui cherchait à s'éclipser pour aller festoyer au village. «Tu vas v'nir avec nous autres. Si tu l'fais pas pour madame Blanchet, fais-le pour l'amour de mon testament. Parce que si tu viens pas, j'm'en vas te déshériter dret demain matin.» La colère de cet homme si doux d'habitude les avait tous surpris, son fils surtout, qui n'avait plus ouvert la bouche. Il poussait mal, ce fils: fainéant et sans respect, ses bêtises faisaient le tour du village et revenaient jusqu'au rang de la Rivière, portées par un écho chargé d'insultes.

Ce soir-là, alors qu'ils marchaient en silence sur le chemin qui mène à l'érablière, Alphonse Leduc avait saisi Gabriel par le bras et, laissant les autres prendre de l'avance, il lui avait dit: «J'ai entendu dire que t'avais des problèmes de santé... Tu peux compter su moé si t'as besoin d'aide, ta femme aussi. J'voulais que tu l'saches.» Gabriel avait simplement hoché la tête pour le remercier. Ils avaient repris la route et, un peu plus loin, presque pour lui-même, monsieur Leduc avait murmuré: «J'aurais aimé ça avoir un fils comme toé.»

De jour en jour, Gabriel perdait les attaches qui le retenaient à la vie. Il sentait le temps glisser de son être sans pouvoir le contenir, lui imprimer ce mouvement qui était le sien. Son univers basculait tout doucement, dans le vide. Par grands pans de silence, ses forces s'écroulaient en découvrant le gouffre du désespoir. Il n'était plus qu'un souvenir d'homme; le néant l'avalait de l'intérieur, assoiffé de douleur et de pourriture.

Si l'âme pouvait agoniser du même souffle... Mais

non, elle survit au corps qui s'efface, elle est là, portant son rêve d'éternité, enchaînée à l'illusion de la chair.

Pourtant, il s'était promis de mourir sans souffrir. Il se disait: «Je partirai comme un papillon qui sort de son cocon pour une nouvelle vie.» Il avait oublié que le désespoir resterait là, tapi dans l'ombre de sa raison, à lui murmurer sans cesse qu'il n'existe pas d'autre vérité que celle de vivre. Combien de temps encore? Bien peu, quand on a tant à faire, tant à aimer.

Le soleil avait plongé comme une main gracieuse, déployant son allégresse sur sa poitrine. Gabriel ferma les yeux en buvant la lumière. Sa tête reposait, appuyée sur le haut dossier de la berceuse. Il oubliait la vie infidèle.

Alphonse Leduc frappa doucement à la porte. Dès qu'il fut assis, le brave cultivateur regretta d'avoir écouté la petite voix qui s'était mise à l'embrouiller dans ses labours. Ce corps décharné, cette blessure crucifiée dans les yeux, Alphonse Leduc les recevait comme quelqu'un qui assiste à une noyade, enchaîné au rivage par l'impuissance.

— J'suis venu prendre de tes nouvelles.

Peut-on être aussi bête! Demander à un homme qui tombe en morceaux comment il va. Bien vite, il cher-cha quelque chose à dire. Gabriel ne serait pas obligé de répondre à sa question stupide.

— C'est un beau temps pour travailler la terre, on a un automne sec, dit-il en regardant son tracteur qui l'attendait au bord du champ.
— Et vous savez comment y faire avec la terre, mon-

sieur Leduc. Y'en n'a pas beaucoup qui ont votre talent.

La voix de Gabriel n'avait rien perdu, elle était celle que son ami lui connaissait, grave et légèrement traînante. Alphonse Leduc perçut toutefois un petit essoufflement dans la boucle des phrases et regretta de nouveau d'être venu, de voler les forces déjà rares du jeune homme.

Il décida d'aller droit au but, lui qui ne savait «jaser» de tout et comme tout le monde.

— Pendant que j'labourais, j'pensais à ta terre... Tu l'as toujours bien entretenue, pis c'est une bonne terre. J'y pensais, là, assis sur mon tracteur. J'ai pensé que tu pourrais peut-être avoir besoin de moé... Tout ça pour te dire que j'peux t'la labourer, si tu veux.

Gabriel pencha la tête et un drôle de sourire apparut sur ses lèvres. Un sourire que le cultivateur n'arrivait pas à déchiffrer et qui ressemblait à une joie d'enfant, sans retenue et toute simple.

— Je suis content que vous soyez venu me parler de ça. Je me demandais justement ce que vous en pensiez. J'aimerais avoir votre idée, monsieur Leduc.

Ce n'était pas une idée, c'était un élan du cœur, la main que l'on tend, sans réfléchir, à celui qui n'a pas mérité les travers du destin. Et Alphonse Leduc savait bien que le destin, parfois, fait fausse route. Il respira profondément à même le sourire de Gabriel et lui tendit sa sollicitude à bout de bras, maladroit comme un paysan qui offre un bouquet de fleurs.

— J'peux m'occuper de ta terre, la labourer, l'engraisser, la faire pousser. J'ferai tout c'qui faut pis t'auras pas à t'inquiéter. J'en prendrai soin comme si c'était la mienne.

— Il va falloir que j'en parle à Andrée, répondit Gabriel au bout d'un moment. C'est elle qui a pris les choses en main; elle va continuer à faire tourner tout ça.

D'un grand geste vague, la main de Gabriel balaya l'espace. Tout se retrouvait dans ce mouvement abandonné: la terre, les lots à bois, les bêtes et le nid de chacun. Et puis, cet avenir qui lui était interdit.

— Hum... Il faut que j'en parle à Andrée. Je lui avais conseillé d'engager des gens à mesure que les choses se présenteraient. Pour cet automne, on avait décidé d'attendre. Ça peut toujours être labouré le printemps prochain sans que ça nuise à la terre, hein, monsieur Leduc?

— C'est certain, ça peut attendre au printemps. Mais j'te l'offre, comme ça. J'ai du temps en masse. Si tu veux, j'entame ton champ demain.

«Maudit» automne! Il était venu si vite, et lui, il se laissait avaler par la maladie et le désespoir, ne faisait déjà plus partie de ce temps qui continuait son chemin sans se retourner après sa chute.

L'homme attendait sa réponse, tassé sur le bout de sa chaise.

— Aimes-tu mieux que j'te laisse le temps d'y penser, pis que j'revienne?

Gabriel lui fit signe d'attendre et se mit à réfléchir. La proposition de monsieur Leduc chassait ses idées

192

noires. Elle avait un goût de quotidien tranquille, amenait un peu de ce petit bonheur têtu des choses à faire
et qui permet de se réconcilier avec un avenir que la
maladie fait inexorablement évoluer vers la mort.

— Ça serait quoi, votre prix? Voulez-vous travailler
à l'heure ou bien garder du grain et fixer un montant
pour le reste?

Alphonse Leduc se leva et, s'approchant de Gabriel,
lui mit une main sur l'épaule, pesamment, pour lui
signifier qu'il n'avait pas à se lever.

— J'veux pas d'argent, rien d'autre non plus. T'en
parleras à ta femme pis, quand vous serez décidés,
faites-moé signe. J'veux juste vous aider, Gabriel, c'est
le moins que j'peux faire. Tant que j'vas être capable, tu
peux compter su' moé, j'vas m'occuper de ta terre.

Il gagna la porte de son plus grand pas parce qu'il
savait que Gabriel chercherait un moyen de le dédom-
mager.

Avant de grimper sur son tracteur, il se pencha et
ramassa une poignée de terre. Il serra le poing tant
qu'il put. C'était le monde entier qu'il aurait voulu
étouffer, jusqu'à ce que plus rien ne bouge, jusqu'à la
poussière, où tout peut naître et recommencer.

Puis il reprit son ouvrage. Sous le passage du la-
bour, la terre bougeait, ondulait comme un corps emporté par le plaisir. Peu à peu, sa rage tombait, se
brisait sur le mur de l'impuissance. Il avait fait ce qu'il
croyait être le mieux et, bientôt, le champ emporta son
regard et la douleur de sa main, qui avait gardé l'em-
preinte de l'épaule dépouillée de Gabriel.

Octobre entrait tout doucement sans déranger le temps tiède et les gens tout à leur besogne. Un automne faste, comme il en vient de temps en temps et que les vieux appellent Providence lorsqu'ils ont récolté davantage que ce qu'ils avaient semé, et dont on se souvient parce qu'il a adouci généreusement leur misère sans rien demander en retour.

Les pommiers étaient si lourds, on aurait dit qu'ils ouvraient les bras pour se donner. Tant de foin, d'orge et d'avoine dans le regard des hommes, qu'il manquait d'espace pour se reposer. Et c'était beau, tout ce brouhaha aux portes de l'aube et jusque dans le silence du lendemain où les récoltes encore à faire arpentaient le sommeil. Toute cette frénésie qui courait d'une clôture à l'autre, du jardin jusqu'à la forêt, avec de grands airs de richesse. La campagne renommait chaque fruit, demandait qu'on lui présente ses greniers et les gens de la terre accouraient comme l'on va à une fête. Un automne tombé du ciel, que Gabriel épiait à la fenêtre où il cherchait souvent la force de dissiper ses faiblesses.

— Je ne serai pas longtemps partie. Dans deux heures, on devrait être de retour. As-tu besoin de quelque chose? Veux-tu que je te fasse du café?

Andrée le quittait péniblement depuis quelque temps. Quand elle avait une sortie, un rendez-vous ou des obligations qui l'éloignaient de la maison, elle devenait nerveuse, tournait en rond dans la cuisine, se mettait à ranger alors qu'elle était attendue ailleurs. On trébuche sur le seuil quand le désespoir s'est fait un nid dans les yeux de celui qu'on laisse.

— Ne t'inquiète donc pas pour moi, j'ai tout ce qu'il me faut. Et puis, je viens de prendre un calmant, je vais probablement dormir tout l'après-midi.

Elle déposa un baiser sur son front en fermant les yeux.

— Allez, sauve-toi, tu vas être en retard.

***

Une voix sans intonation, des mots presque marmonnés annonçaient que le train en provenance de Montréal avait une heure de retard. La salle d'attente de la gare s'emplit de tumulte. Les gens s'indignaient et, d'un même élan, une dizaine d'entre eux se dirigèrent vers un guichet pour demander des explications ou tout simplement faire savoir leur mécontentement. Andrée chercha une boîte téléphonique pour avertir Gabriel de cet imprévu, mais on y faisait déjà la file. Elle se rappela que Gabriel avait dit qu'il se coucherait pendant son absence et elle se sentit rassurée en l'imaginant endormi sur le divan du salon où il faisait toujours ses grandes siestes. Comme elle disposait d'un peu de temps, elle décida de tromper l'attente en marchant. Les gares sont souvent au cœur de la fondation des petites et des moyennes villes. Un hameau se dessine puis, un beau matin, le chemin de fer le traverse et, tout autour, des rues s'élancent et s'épanouissent à l'ombre de nouvelles églises.

Drummondville était de celles-là. Une bonne rivière,

des terres plates qui se travaillent toutes seules selon les va-et-vient du vent et parce qu'elles ont le privilège d'être au cœur de la province, un jalon entre Montréal et Québec. Une perle d'eau douce enfilée au centre d'un collier ouvragé de petits villages reliant deux capitales.

En sortant de la gare, Andrée n'eut qu'à faire quelques pas pour déboucher sur la rue principale. Du haut de la côte où elle se trouvait, le centre-ville semblait se jouer du temps, s'étirait comme un gros chat au soleil. Les gens déambulaient sur les larges trottoirs qu'on avait fleuris de lampadaires à l'allure antique et d'arbres sagement alignés.

Sans se presser, Andrée descendit la côte. Les magasins et les boutiques affichaient déjà l'hiver à pleines vitrines. Elle voyait les gros manteaux, les bottes d'inspiration esquimaude et les fourrures ajustées sur le corps maigre des mannequins et sentait la main du froid chercher sa mémoire. Elle détestait l'hiver et il le lui rendait bien, passant sur son dos comme un grand seigneur autoritaire. Elle aurait tant voulu être comme Gabriel, taper des mains et se lancer dans la première bordée de neige comme si c'était une surprise tombée du ciel. Et puis, s'y reposer aussi, à mesure qu'elle s'accumule et façonne le silence du paysage. Elle avait beau y mettre toute sa bonne volonté, un peu d'illusions aussi, l'hiver restait pour elle une étape douloureuse, une prison avec fenêtre sur la longueur du temps.

Un coup d'œil à sa montre lui indiqua qu'elle devait retourner à la gare. Bernadette serait bientôt là, sensible et courageuse, venue chercher un peu d'amour dans les derniers sourires de Gabriel.

«Il fait beau pour son arrivée.» Andrée eut cette curieuse pensée en s'asseyant sur l'unique banc du quai. Peu de gens étaient sortis de la gare. L'air était bon, pourtant, rempli d'un vent franc accordé au ciel mouvant. «Il fait beau pour son arrivée parce qu'elle apporte un peu de soleil.»

Andrée le souhaitait de toutes ses forces... de toutes les forces qui lui restaient au bout de nuits éclatées, où le sommeil était un navire agité sur une mer mauvaise, secoué par l'angoisse de ce qui ne peut s'oublier et par les embruns qui harcèlent au creux de l'inconscience.

Oui, Bernadette amènerait un peu de soleil, un semblant de quiétude. Elle aimait sans rage, loin de la violence et du désespoir que déploie le doute des bonheurs trop grands. Oui, Bernadette suivait la course des saisons avec une curiosité tranquille, comme si le temps, en prenant son envol de ses bras, ne pouvait qu'être bonté et liberté.

Quand on fermait les yeux pour mieux les voir, Gabriel et Bernadette ne faisaient qu'une seule et même personne. Ils se ressemblaient beaucoup, douloureusement. Ils faisaient partie de la race des êtres confiants et généreux d'eux-mêmes.

Le train arrivait, appelait ses voyageurs de loin et le quai se mit à murmurer d'impatience. Il s'arrêta, faisant hésiter le vent, et Andrée la vit descendre. Bernadette avançait vers elle saisissant l'espace de sa légèreté.

Comme ils se ressemblaient, il n'y a pas si longtemps! Bernadette souriait aux horizons, y posait ses joies pour en appeler d'autres. Elle et Gabriel... Gabriel, prisonnier du temps...

— Bernadette...

Elle l'avait attendue, immobile sur le quai puis, quand la sœur de Gabriel avait posé ses valises et tendu la main vers elle, Andrée s'était jetée dans ses bras en pleurant.

Les gens s'étaient éloignés d'elles, les effleurant de regards furtifs. La tristesse qui perce au soleil trouble l'indifférence. Elle vous interpelle parce qu'elle a un je-ne-sais-quoi de familier, parce qu'on réalise qu'elle survit à tous les bonheurs.

Andrée goûtait les fruits de sa peine dans les bras de Bernadette, se laissait toucher par elle et c'était bon comme de fermer les yeux au milieu d'une grande fatigue.

— Je suis là, je suis là. Tu peux pleurer, tant qu'il faudra, je n'ai pas fait tout ce chemin pour te voir mentir.

Elle était si frêle, abandonnée sur sa poitrine, qui disait non de la tête. Toutes ces heures maquillées de beaux courages... Bernadette se rappelait sa dernière visite et cette petite femme qu'elle avait ramenée dans ses souvenirs, vaillante et sans peur.

Andrée eut soudain un geste de recul et posa la main sur ses yeux pour repousser ses larmes. Elle regarda sa montre: la course du destin avait repris et ramenait l'inquiétude.

— Gabriel doit nous attendre: le train avait une heure de retard. Je ne voudrais pas qu'il se fasse du souci. On devrait y aller.

Bernadette refoula la question qui lui brûlait les lèvres: «Comment va Gabriel?», en se disant qu'il était préférable d'aborder le sujet sur le chemin du retour.

Les dernières nouvelles lui étaient venues par un coup de téléphone: tout se précipitait, Gabriel dépérissait à vue d'œil. Alors, sans hésiter, Bernadette avait fait ses valises et embrassé les siens en leur disant qu'elle ne savait pas quand elle reviendrait.

— Donne-moi les clefs, je vais conduire, dit-elle à Andrée en refermant le coffre de l'auto sur ses bagages.

— Non, ça va, j'ai pleuré tout mon soûl. Et puis tu viens de te taper trois jours de train, tu dois être fatiguée.

Bernadette la sentait frissonner sous son gros chandail de laine, épuisée par les larmes. Et ce qu'Andrée voulait être un sourire ressemblait plutôt à la douleur d'un enfant écorché.

— Allez! Passe-moi ces clefs, j'ai vraiment le goût de conduire.

Sur l'autoroute entre Drummondville et Saint-Christophe, la campagne étalait ses champs ouvragés de labours; la terre, d'un brun sombre, montrait ses flancs assoupis sous les grands vents. Parfois le vert délicat d'un lopin de mil brisait le fauve de l'automne et il sautait aux yeux comme un bonheur qui vous échappe au grand jour.

Bernadette respirait l'équilibre du pays, l'unité du paysage, que rien ne gênait dans son élan vers l'horizon. Tout était si différent à Vancouver. Il avait fallu apprendre à enclaver le regard, l'habituer à l'exubérance de l'océan, au mur des Rocheuses où il se cogne long-temps avant d'accepter les ombres dressées. Et même si Bernadette avait mis des années à s'y faire, rien n'enchantait davantage son regard que la géographie uniforme, les terres plates de son premier pays. Elle avait l'impression de faire corps avec cet espace libre d'aller où il voulait.

Comme si elle avait deviné ses pensées, Andrée lui demanda si elle avait aimé son voyage et tous les paysages qu'elle avait vus défiler au cours de ces trois jours de train.

— C'est encore plus beau que je ne l'avais imaginé. Il y avait des années que je rêvais de faire ce trajet. Tu sais, quoi que je fasse, le train fera toujours partie de mon univers. C'est plus qu'un souvenir d'enfance, c'est, comment t'expliquer... Le train m'a révélé des ailleurs et je pense qu'il m'a permis de voyager bien avant que je n'aie les moyens «physiques» de le faire.

En l'écoutant parler, Andrée imaginait Bernadette petite fille, juchée sur le banc d'une gare, scrutant les cartes du réseau ferroviaire.

— Les Rocheuses surtout sont très belles. Et puis les Plaines, au bout de quelques heures, on les oublie, on ne les voit plus, jusqu'à ce qu'on sursaute en croisant une maison, et l'on se dit que ce n'est pas possible que ce soit aussi vaste. Mais, tu veux que je te dise? Rien n'est aussi beau que votre coin de pays. Je suis telle-ment heureuse d'être là. Et puis, j'ai hâte de revoir Gabriel, dit-elle la voix pleine d'émotion.

Andrée tourna la tête vers la vitre de la voiture. La campagne défilait devant ses yeux aveugles. À quoi

Bernadette s'attendait-elle? Quand elle les avait quittés en juin, le printemps emportait tout le monde. Gabriel était encore celui qu'elle avait connu: un coureur des bois qui attend chaque matin une nouvelle aventure. Quelle serait sa réaction lorsqu'elle retrouverait ce frère dépouillé de ses merveilles, ravagé par le cancer? Ils se parlaient au téléphone, oui, mais Andrée était persuadée que sa belle-sœur ne réalisait pas à quel point Gabriel était malade. Ne lui avait-il pas fait promettre de lui en dire le moins possible? Lorsque sa sœur téléphonait, Andrée respectait sa volonté. Ses réponses étaient vagues. Elle lui parlait de traitement, de séjours à l'hôpital, sans jamais mentionner que Gabriel allait d'échec en échec.

— Comment va-t-il?

Andrée examinait ses mains ouvertes comme si la réponse s'y trouvait, quelque part entre les lignes du passé et celles que l'avenir taisait. Encore une habitude prise de Gabriel, et cette pensée, l'image de Gabriel scrutant ses mains pour s'écouter penser, fit surgir un sanglot qui se répandit dans le silence ronflant de l'auto.

Bernadette prit la sortie qui se présentait à sa droite et alla se garer dans la cour d'un restaurant, en bordure de l'autoroute. L'endroit était presque désert et Andrée laissait sourdre ses larmes sans combattre, sans résister au besoin d'apaiser le flot de sa peine endigué.

La sœur de Gabriel savait maintenant que ce que son père lui avait laissé entendre était vrai. Son frère se mourait. Elle sentit la douleur l'empoigner en pleine poitrine et se précipiter à ses yeux. Il ne fallait pas qu'elle pleure, pas maintenant! Elle était venue apporter son aide et Dieu sait à quel point tous devaient en avoir besoin. De grandes respirations parvinrent à chasser ses larmes et elle se tourna vers Andrée pour la prendre dans ses bras.

Tout doucement, elle la berça. Comme une enfant. Comme son fils qu'elle endormait quand il était petit en lui murmurant les rêves qu'il faisait naître en elle. Des rêves que le temps ne réussirait pas à briser... On ira voir l'Afrique et épier les rhinocéros portant des oiseaux sur leur dos. On s'inventera des mots, des codes secrets pour dire «Je t'aime» ou rigoler au milieu des gens trop sérieux. Mathiew était grand, maintenant, et il y avait bien longtemps que Bernadette ne le berçait plus. Elle ne regrettait pas cette époque. Chaque âge de son fils lui apportait des joies nouvelles. Et, s'ils n'étaient jamais allés en Afrique, ils avaient tout de même fait des voyages fabuleux, simplement en se tenant la main et en imaginant une jungle sauvage au milieu du salon. Les petits mots doux et le langage secret dormaient avec les oursons de peluche dans un coffre qu'on n'ouvrait plus, mais l'amour, l'amour et les rires les garderaient Bernadette et Mathiew toujours complices.

L'image d'Andrée refit surface sur l'onde de ses pensées maternelles. La petite femme blottie dans ses bras avait cessé de pleurer, mais sa respiration était bouleversée. Parfois, elle avalait l'air en frémissant et un grand spasme la secouait. Bernadette continua de la bercer, laissant venir à elle cette réalité qu'elle avait bâillonnée tout au long de son voyage en train: elle se répétait que la vie ne pouvait être aussi injuste.

— Il faut que je me mouche.

La voix d'Andrée était douce et elle avait parlé tout bas, comme si elle ne voulait pas déranger leur étreinte. Sans la quitter des yeux, Bernadette fouilla dans sa poche à la recherche de mouchoirs et lui tendit un petit emballage. Les pleurs avaient meurtri le beau visage clair de la jeune femme et Bernadette ne put s'empêcher de toucher sa chevelure flamboyante qui faisait trop de lumière sur les ravages de la détresse: les yeux lançaient des appels sourds, des lueurs affolées, où l'espace brûlait en engloutissant tout espoir. Ces paupières tuméfiées, ces joues cireuses, ces lèvres gonflées, tout cet orage plaqué sur la peau... Andrée n'était plus que souffrance, qu'un pays dépouillé de son humus s'étiolant sous le soleil vif.

«Il va mourir. Il va mourir.» Les mots cognaient dans la tête de Bernadette, faisaient trembler ses doigts qui erraient dans la chevelure fauve. Nerveusement, elle se pencha pour prendre son sac à main et y chercher des cigarettes d'un air absent.

Elle tira longuement une première bouffée et en ressentit aussitôt un immense bienfait. Elle se calmait; les rouages de sa pensée cessaient de s'emballer, retrouvaient une certaine lenteur, devenaient vaporeux et indéfinis comme la fumée de sa cigarette.

Alors qu'elle baissait la vitre de sa portière pour aérer la voiture, le regard de Bernadette s'arrêta sur les grandes fenêtres du restaurant. Il y avait là toute une rangée de petites tables couvertes de nappes carrelées, rouge et blanc, comme celles de sa grand-mère Blanchet; ses nappes de semaine, comme elle disait. Le dimanche, c'était différent. Elle sortait les dentelles pour enjoliver sa table et Bernadette avait ainsi appris la délicatesse et la légèreté des jours de repos.

— Et si on allait boire quelque chose. On serait bien pour parler tranquillement en sirotant un bon café.

Andrée lui offrit ses yeux froissés et hocha la tête comme un enfant qui se parle à lui-même et se raisonne du mieux qu'il peut.

— J'aimerais mieux qu'on aille à la maison. Je suis inquiète quand Gabriel est seul trop longtemps. Il est... très malade.

Pourtant, elle aurait tant aimé entrer dans ce restaurant et s'attabler avec Bernadette à l'abri des regards, dans un coin paisible. Elle lui aurait dit combien sa vie, leur vie, perdait son sens de jour en jour. Elle lui aurait étalé sa rage et ses désespoirs, un à un, jusqu'à se sentir vide de tout ce poids qui la poursuivait, au point de lui dérober son souffle. Mais elle ne pouvait pas, elle ne pouvait prolonger son absence alors qu'au bout du rang de la Rivière, à Saint-Christophe, une partie d'elle-même la quittait tout doucement.

Bernadette referma la vitre et murmura: «Je comprends.» en réprimant un frisson. Elle fit démarrer l'auto, mais l'envie d'un bon café chaud la tenaillait comme une urgence. Elle voulait étouffer le froid, ce froid sur son corps fatigué et dans son cœur où l'hiver entrait avec ses rumeurs de mort.

— Écoute, je vais aller chercher du café, on pourra le boire en route. Qu'est-ce que t'en dis?

Andrée lui adressa un pauvre sourire en s'excusant de la bousculer ainsi. Bernadette, tout en se hâtant vers le restaurant, pensa qu'elle aurait dû faire ce voyage bien avant. Si elle avait su...

Lorsqu'elle revint à l'auto, Andrée s'était installée au volant et nouait ses cheveux, l'air concentré.

— Je vais conduire, ça va me faire du bien. Je vais peut-être cesser de pleurer si je suis derrière le volant.

Un peu plus loin, alors qu'elles roulaient de nouveau sur l'autoroute, Andrée se mit à parler tout en gardant les yeux rivés sur son chemin, comme si elle dialoguait avec elle-même et voulait jeter ses pensées sur la voie qui touchait l'horizon d'un grand trait noir.

— Lors du dernier diagnostic, il lui restait un mois, deux peut-être... C'est lui-même qui l'a demandé au médecin. Gabriel est comme ça. Quand une question lui vient à l'esprit, il la pose sans chercher à savoir si la réponse peut lui faire mal. Moi, j'aurais préféré ne pas savoir. C'est peut-être de la lâcheté, mais j'aurais choisi la lâcheté, car ce «maudit» ultimatum me fait voir chaque jour qui passe comme des petits morceaux de moi-même qui meurent.

Elle s'arrêta pour respirer profondément et secoua la tête pour dire non aux larmes qui perlaient sous les paupières. Elle n'allait pas se remettre à pleurer: il fallait qu'elle se ressaisisse, qu'elle reprenne la maîtrise de ses actes. La maison était si proche; dans une demi-heure à peine elle y retrouverait Gabriel à qui elle voulait offrir tout son courage.

— Sais-tu ce que j'ai essayé de faire, Bernadette? Je vais te le dire, mais tu ne me croiras pas. Moi-même, je ne comprends pas pourquoi j'ai pu aller aussi loin. Un «maudit» beau mensonge, une vraie trahison envers tout ce qu'on a été, Gabriel et moi.

— Telle que je te connais, je sais que ça ne doit pas

être bien grave, lui dit doucement Bernadette, qui ne pouvait imaginer de quelle trahison Andrée s'accusait. Cette femme aimait tellement son frère: un amour libre, sans exigences et plein d'estime, à la mesure des passions de Gabriel. C'était sûrement la douleur ou le désespoir qui confondait Andrée et lui laissait le sentiment d'avoir trompé Gabriel.

— J'ai tout fait pour être enceinte, tout, tu m'entends?

— Et puis, qu'est-ce qu'il y a de mal là-dedans?

— Qu'est-ce qu'il y a de mal? Le problème c'est qu'à partir du moment où Gabriel a su qu'il avait un cancer, il n'a plus voulu d'enfant. Je l'ai talonné, supplié, mais il n'est jamais revenu sur sa décision. Alors j'ai commencé à lui mentir. J'ai jeté mes pilules au panier et fait semblant d'oublier cette d'idée d'avoir un enfant. Parfois, on faisait l'amour deux fois par jour. Il a dû croire que mon désir était une façon de lui dire combien je tenais à lui, que j'avais peur de le perdre. Et, au fond, c'est ce que lui criait mon corps, je voulais qu'il survive... J'étais obsédée par l'idée d'avoir un enfant, je le voulais à tout prix et, pour ça, je l'ai trahi. Je vais te dire, je me suis conduite comme une menteuse de la pire espèce!

Andrée reprit son souffle et courba les épaules sous le poids de son blâme. Une faute qu'elle n'avait encore confessée à personne, pas même à ses parents qui, depuis qu'ils étaient revenus d'Europe, n'attendaient qu'un signe de sa part pour accourir auprès d'elle.

Tant bien que mal, Bernadette essaya de cacher sa surprise. Elle avait devant les yeux une image qui la déchirait. D'un côté, il y avait Andrée et son besoin désespéré de prolonger l'être aimé et d'adoucir sa solitude future à travers la route d'un enfant, Andrée, petite femme dépossédée, mais têtue, aux prises avec cet accroc dans le voile de sa conscience et de l'autre il y avait Gabriel, qui pleurait sous la pleine lune en se disant qu'il l'aimait trop pour lui faire un enfant et s'en aller ensuite...

— Tu ne me demandes pas si je suis enceinte? dit Andrée, son petit visage résolument concentré sur la route.

Bernadette l'avait deviné. Andrée ne portait pas l'enfant de Gabriel et son ventre était aussi inhabité que son avenir éclaté sur un insaisissable horizon.

— Si tu l'étais, je ne pense pas que tu ne t'en voudrais comme ça. Est-ce que j'ai raison?

C'était vrai et, pour la centième fois, Andrée pensa que Gabriel se serait sûrement jeté avec elle dans ce bonheur devant le fait accompli.

— Oui, tu as raison, si j'avais été enceinte, je ne me serais pas sentie coupable. Tout aurait été si différent, j'aurais eu une raison de continuer, quelque chose à quoi m'accrocher...

La sortie de Saint-Christophe tendait son bras noir vers la campagne familière. Andrée s'y engagea en ralentissant et fit promettre à Bernadette de ne rien dire des révélations qu'elle venait de lui faire. Il ne fallait pas que Gabriel apprenne cela, jamais.

— Je ne dirai rien, ne t'inquiète pas. Et je veux que tu saches que je crois que j'aurais fait la même chose si j'avais été dans ta situation.

Elles franchirent en silence les quelques milles qui

les séparaient de la maison. Andrée avait monté le volume de la radio. Elle se laissait emporter par la musique, en quête d'un semblant d'équilibre qu'elle cherchait tout en prenant soin de Gabriel.

Quand l'auto s'arrêta dans la cour, Bernadette pensa qu'elle arrivait au bout de son voyage chargée d'un bien lourd fardeau: le secret d'Andrée, la déception cruelle qui avait pris la place de l'enfant qu'elle avait tant désiré. Et cet être qu'Andrée aimait tant, celui à qui elle n'avait pu arracher une continuité, Bernadette devait consentir à le voir mourir à son tour. Son petit frère. Sa préférence.

— On y va?

Andrée sortit de l'auto et prit vivement les bagages. Bernadette mit pied à terre et promena son regard aux alentours. L'automne rendait l'endroit encore plus beau que lorsqu'elle l'avait quitté en juin. Ce dépouillement, ces arbres pleins de silence, ces champs bouleversés: on eût dit que le temps s'était retiré, avait endormi la plaine, figée comme l'œil perdu dans le vague d'une chienne qui scrute le ciel, sa portée assoupie sur le flanc.

«Il t'attend, et toi, tu es venue pour lui dire que tu l'aimes, qu'il peut toujours compter sur toi. N'aie pas peur, tu vas retrouver le Gabriel que tu connais, celui que tu n'as jamais quitté, même au cœur de l'absence.»

C'est avec une sérénité retrouvée et beaucoup de tendresse au bord des yeux que Bernadette poussa la porte de la maison où Gabriel, en marge du temps, l'attendait dans son sommeil, rebâtissant une vie sans commencement ni fin.

Le choc était passé. Maintenant, Bernadette pouvait le regarder sans trébucher sur la souffrance. «Maudite» souffrance! Il lui avait fallu une semaine pour la conjurer. À moins qu'elle n'eût appris à vivre avec elle, sans s'en rendre compte...

Une cigarette de plus. Cela en faisait combien, aujourd'hui... Vingt? Trente? Bernadette ne savait plus très bien: elle les allumait sans les compter, à tout propos, au gré de ses méditations. Et, tout au long de cette semaine à Saint-Christophe, elle n'avait cessé de plonger dans ses pensées.

«Traumatisme.» Le mot était monté tout seul. Il flottait devant ses yeux en dansant dans la fumée bleutée de la cigarette. «C'est bien comme ça qu'on nomme quelque chose qui dépasse la mesure de l'acceptable et laisse une trace profonde?» Oui, c'était bien ce qui lui restait de son premier contact avec Gabriel, comme une blessure encore toute fraîche, boursouflée et lancinante. Le souvenir inquiétant d'une douleur diffuse, traître.

Passé la porte de la maison, Bernadette avait fait quelques pas dans la cuisine, Andrée sur ses talons, et, dès l'abord, avait buté sur le silence. Rien ne bougeait, pas même la lumière de ce bel après-midi d'automne qui la ramenait auprès de Gabriel. «Il doit dormir sur le divan du salon», avait chuchoté Andrée dans son dos. Bernadette avait suivi le silence jusqu'à cette pièce qu'on avait laissée sans musique contrairement à l'habitude prise depuis quelque temps à la maison. Elle n'y avait rien trouvé, rien d'autre que le grand sofa vide, bouleversé, coussins éparpillés et couvertures froissées. Andrée n'avait pas tardé à l'y rejoindre et Bernadette avait bien vu l'inquiétude lui sauter au visage.

Il aurait en effet dû se trouver là, indéniablement, comme un enfant jouant sur la plage au soleil, bercé par le bruit des vagues et à l'abri dans le havre du sable. Si on laisse l'enfant des yeux, si l'on plonge dans l'horizon, ce moment de détachement ne vous vole pas l'enfant. Le temps, simplement, retient son geste, on le retrouve à bâtir ses châteaux. Il est là, recevant votre regard comme si ce dernier ne l'avait jamais quitté.

Gabriel avait déserté sa prison et une voix hurlait dans les oreilles d'Andrée, que la mer avale parfois des morceaux de côte tout entiers. Comme une folle, elle s'était ruée vers l'escalier, tout son être emporté par la nécessité de voir Gabriel, de le rejoindre. Elle l'avait abandonné trop longtemps, laissé à lui-même malgré les pressentiments, malgré l'inquiétude. Elle courait, harponnée par le malheur, terrifiée à l'idée qu'il ait gravi l'escalier pour sombrer dans cette chambre où, chaque nuit, ils s'accrochaient l'un à l'autre.

Bernadette entendait, venant de l'étage au-dessus, les pas précipités d'Andrée qui arpentaient l'absence. Bernadette resta soudain figée, comme au bord d'elle-même, interdite: elle venait d'apercevoir, sur le plancher du bureau-bibliothèque, une forme, une silhouette imprécise et écrasée par les ombres de la pièce obscure. Cette forme ne pouvait être que Gabriel.

Sans quitter des yeux la masse sombre, elle s'était

avancée jusqu'à l'embrasure de la porte. Un bruit sourd roulait dans sa tête, emplissait ses oreilles comme une immense vague déferlant du large. Le bruit de la peur.

Elle aurait voulu dire son nom, faire quelques pas encore, se pencher et le toucher pour qu'il brise cette image d'homme lové sur lui-même, cette vision de fœtus retourné au néant. Elle restait là, hypnotisée par quelques mèches de cheveux clairs, par ce calme trop grand de la pièce qui embrouillait son regard.

Au pied de l'escalier où elle se tenait figée par la déroute, Andrée, à bout de course, avait heurté Bernadette. Le désarroi devait être écrit sur le visage de celle-ci puisque Andrée s'était précipitée sur-le-champ vers la vision dont Bernadette ne pouvait se détacher.

À mesure que les gestes et la voix d'Andrée lui étaient parvenus, Bernadette avait repris ses esprits, échouant sur l'encadrement de la porte après avoir frôlé le naufrage. Gabriel avait bougé, déplié les jambes d'abord, puis, avec l'aide d'Andrée qui le tenait par les épaules, il s'était retrouvé assis face à elle.

— T'as fait bon voyage, ma petite sœur?

Il y avait une semaine, jour pour jour, qu'elle était de retour chez Gabriel. Et maintenant, Bernadette pouvait le regarder sans que tout ne s'écroule en elle.

En y repensant, elle se dit que tout cela ressemblait à un tremblement de terre. Première seconde du séisme: la vision de Gabriel pelotonné comme un clochard mort dans la solitude d'une ruelle sombre et sans issue. Puis, l'onde de choc: une longue secousse qui bouleverse la chair et déchire la trame des faiblesses. Gabriel n'est pas mort, il est là, assis sur un lit de coussins, vous regarde de ces yeux à moitié existants. C'est lui et ce n'est pas lui, et tout cela vous traverse comme un raz-de-marée.

Elle écrasa sa cigarette et se rendit compte, avec un pincement au cœur, que le cendrier débordait de mégots. Retenant son souffle, elle «ramassa» ses gestes et sortit de son fauteuil pour passer à la cuisine afin de ne pas déranger Gabriel qui dormait sur le divan. Elle s'y affaira à préparer du café sans bruit. Quand il se réveillerait, on entamerait la veillée et tous les rituels: un bon feu dans l'âtre, de la musique et du café pour sceller leur pacte d'amour tourmenté.

Certains soirs, le toit de la maison semblait s'ouvrir et ils allaient se frotter aux étoiles. Gabriel avait sa voix d'autrefois, il parlait de la forêt, des mille et une pistes croisées ici et là et de tous ses rendez-vous avec l'enchantement. Mais il y avait aussi ces autres soirs, ces soirs où le salon partait à la dérive, sans amarre, le grain dans la voilure, la désespérance perçant sous chaque mot, broyant les silences. La vie empestait la mort.

Des pas se firent entendre sur la galerie. Bernadette jeta un coup d'œil à l'horloge en pensant qu'Andrée n'avait pas perdu de temps en faisant sa tournée à la porcherie. Il lui semblait qu'elle venait à peine de partir.

La porte s'ouvrit. Bernadette allait se retourner et lui demander ce qui la remenait si tôt, lorsque la voix de tante Esther lui adressa un faible bonsoir.

— Parlez-moi d'une surprise! Comment ça va, ma tante? Attendez, je vais vous aider.

Tant bien que mal, la vieille femme essayait d'enlever son manteau, s'appuyant d'une main sur le mur. Une canne gênait les mouvements de son autre main.

Bernadette vint à son aide et l'installa à la table de la cuisine.

— J'étais justement en train de préparer du café. Il va être prêt dans cinq petites minutes. Vous allez bien en prendre un peu.

— Je te remercie, mais une tasse d'eau chaude va suffire. Le café, c'est fini pour moi; j'en prends bien un le matin, mais pas plus. Avec cette paralysie, j'ai renoncé à bien des petits plaisirs...

Esther avait porté la main à son épaule gauche et, le regard vide, la caressait doucement à la manière d'un enfant malade.

«Renoncé à bien des petits plaisirs.» En l'espace de quelques mois, elle était passée d'un certain âge à la vieillesse, radicalement. Il y avait cette canne, ce maigre bout de bois qui remplaçait le côté gauche de son corps endormi dans une faiblesse sans nom. Et sa tête, sa pauvre tête, qui jouait l'indocile, laissait crouler de grands pans de mémoire et ouvrait des trous ténébreux où elle trébuchait en appelant ses souvenirs en vain. Même le quotidien lui tendait des pièges. Il lui arrivait de se retrouver marchant au beau milieu du rang avec sa grande jaquette de flanelle pour tout vêtement, ou bien elle oubliait de faire sortir les chiens qui se soulageaient un peu partout dans la maison. Oui, elle avait perdu bien des choses et, de son corps diminué, de son

esprit déréglé, il lui restait d'étranges moments de va-
cuité, de grands espaces vides qui lui volaient du temps
et des gestes sans rien n'y pouvoir.

C'était pour cela que la famille s'était réunie. Dans
une semaine ou deux, elle déménagerait à l'hospice.
Oui, bien sûr, on n'appelle plus cela ainsi. Aujourd'hui,
on dit un «foyer d'accueil», une «résidence pour personnes âgées» ou on utilise une autre appellation qui
tout autant a le bonheur de ne renvoyer aucun écho
désagréable à ceux qui passent furtivement en visite
dans de tels lieux. N'empêche que dans ces lieux, tout
cela avait la même définition: un mouroir où les vieux
peuvent s'étioler et divaguer en toute sécurité.

Bernadette lui avait apporté une grande tasse d'eau
chaude et la regardait avec bienveillance.

— Tu es revenue pour Gabriel, hein?

La question d'Esther vint mettre un voile de tristesse dans le regard de Bernadette.

— Oui, si on veut. Mais c'est surtout pour moi que
je suis revenue; je m'ennuyais terriblement de mon
monde, vous savez.

Esther reconnut avec émotion sa nièce à ces paroles.
Elle se rappela que Bernadette était, des enfants de
Lucien, celle qui avait toujours pensé ses tendresses tout
haut. Avec sa bonne main, celle qui répondait encore
aux appels à l'aide, elle caressa les doigts de Bernadette,
croisés comme les ailes d'un oiseau sur la table.

— Comment va-t-il? Depuis deux semaines, j'en ai
pas eu de nouvelles.

Pour se donner du temps, Bernadette alla rincer sa tasse et se servit du café. Elle ne savait pas si Esther était au courant: Gabriel, de jour en jour, s'éteignait doucement. Cette bonne tante que l'espace d'un été avait brisée tel un éclair qui ouvre le cœur d'un arbre, cette douce vieille qui les avait toujours couvés du regard et du souvenir, que ne savait-elle pas qui pût encore la blesser?

En se rasseyant, Bernadette évita le regard d'Esther qui l'enveloppait patiemment. Dans cette figure à la fois tirée par les ans et affaissée par une maladie trop rapide, les yeux étaient vivants comme des phares, avec la même certitude de se poser et de rejoindre les autres en fendant la brume.

Bernadette ouvrit son paquet de cigarettes et en offrit une à Esther, même si elle savait qu'elle n'avait jamais fumé.

— Tu peux me le dire, Bernadette, je le sais bien qu'ils sont en train de lui préparer une belle place là-haut.

Elle avait parlé tout bas en pointant le ciel du doigt, comme si elle sentait des présences s'affairer au-dessus de sa tête.

— Je vais aller voir si Gabriel dort encore, ma tante; je reviens tout de suite.

Sur la pointe des pieds, Bernadette pénétra dans le salon. Gabriel dormait profondément. Elle avait du mal à distinguer son visage dans l'obscurité, mais sa respiration, longue et bruyante, suffit à la convaincre qu'il reposait dans les bas-fonds du calmant.

En revenant, elle ferma lentement la porte qui séparait la cuisine du salon.

— Gabriel nous quitte tranquillement, tante Esther.

Un sourire triste passa comme une lueur chancelante sur le visage de la vieille femme. Elle se revoyait, cette nuit de printemps, couchée sur des branches de cèdre au fond de la forêt, égrenant ses dernières prières. Lorsque Gabriel s'était penché sur elle, elle s'était sentie si bien. Cette béatitude qui lui avait fait croire à un ange venu la chercher, cette paix étalée comme un chemin vers les étoiles, c'est ce qu'elle souhaitait à Gabriel aujourd'hui. Le Seigneur le lui devait bien. Tous ses chapelets des derniers mois demandaient qu'on soit bon avec celui qui avait prié, à sa façon, en souriant aux arbres.

— Je voulais le voir avant de m'en aller à l'hospice. Quand je serai là-bas, je ne pense pas avoir la chance de revenir, les enfants ont vendu mon auto... Mais c'est mieux comme ça. Avec ma paralysie, je ne pouvais plus conduire.

— Je suis certaine qu'ils vont bien s'occuper de vous au foyer, ma tante. Et puis, si vous voulez venir faire un tour à la campagne, téléphonez-moi. J'irai vous chercher.

— Chère enfant! T'es bien la fille de ton père, un grand cœur sensible. Sauf qu'avec Lucien, il faut faire semblant qu'on ne voit rien et lui faire accroire qu'il est aussi dur et solide qu'un arbre amarré à ses racines.

Bernadette trouva la comparaison à la fois drôle et très juste: Lucien avait l'extérieur revêche comme l'écorce et le cœur doux comme la sève. Esther la regardait: elle avait un sourcil relevé et un sourire en coin qui lui donnaient un air d'enfant espiègle.

216

— Bon, il faut que je m'en retourne, maintenant. Ça m'a fait du bien de sortir. Andrée est à la porcherie, je suppose?

— Oui, je pense que sa tournée va être longue ce soir, il y a deux truies qui mettent bas.

Bernadette l'aida à enfiler son manteau et lui ouvrit la porte. Elle allait prendre son envol sur le perron, clopinant comme un oiseau, l'aile traînante, lorsqu'elle se tourna vers Bernadette et lui dit:

— Je suis soulagée de savoir que tu es ici. Pour Gabriel, bien sûr, mais surtout pour Andrée; elle a l'air bien forte comme ça, mais, au fond, elle est si fragile. Si j'avais encore mes forces, j'aurais fait comme toi.

— Je le sais, ma tante, je le sais bien.

Puis, sur le seuil de la porte, Bernadette vit Esther figée sur place dans le courant d'air, comme si elle se laissait envelopper par le brouillard de ses pensées. Elle se demanda si, d'après les dires d'Andrée, la vieille femme n'était pas en train de glisser dans un de ces états de fixation qui lui soufflait sa raison sans crier gare.

— Tante Esther?

À l'appel de son nom, elle roula lentement les yeux vers Bernadette.

— Voulez-vous que j'aille vous reconduire chez vous?

Elle secoua sa tête grise et s'approcha de Bernadette pour la saisir par le bras.

«Je ne le reverrai peut-être plus jamais.» Esther

écoutait la plainte de ce pressentiment. Comme un animal en cage, il s'affolait dans la chair sauvage de ses aines. L'appréhension martelait jusqu'à ses flancs et elle se demandait si elle pourrait marcher jusque chez elle avec cette peur dans l'âme.

— Je vais partir pour le foyer bientôt, dit-elle à Bernadette d'une voix brisée. Je ne sais pas si j'aurai la chance de revoir Gabriel d'ici là. Y'a cette jambe folle qui ne veut pas toujours m'obéir.

Elle leva la jambe le plus haut qu'elle put, la reposa et regarda la mesure parcimonieuse des mouvements sans comprendre pourquoi ce membre ne répondait plus.

— Je m'habille et je vous accompagne. Attendez-moi.

Bernadette prit son manteau et, sur le coin de la table, griffonna à la hâte un mot pour expliquer son absence.

Depuis quelques jours, le temps s'évanouissait derrière lui, et sa vie n'était plus qu'un présent misérable. Ce reste de vie était sous le joug des calmants, qui l'expédiaient tout doucement dans un sommeil flanqué de sentinelles vigilantes.

Les murs chuchotaient. Il voulait ouvrir les yeux et rejoindre les voix qui l'effleuraient, mais la morphine engourdissait encore ses désirs. Il faisait surface sans pouvoir s'agripper aux murmures qui flottaient tout autour de lui, puis il replongeait dans la torpeur de ses rêves morcelés.

L'agonie de Gabriel Blanchet tirait à sa fin et, si la mort l'avait voulu, elle aurait pu l'emporter ce soir-là. Sa succession était réglée. Andrée avait les affaires en mains. Léo, plus dévoué que jamais, l'aiderait. Il était en paix, aussi: ce qu'il laissait derrière lui apaisait sa conscience. Le temps, le hasard et la vie en disposeraient pour le mieux.

Et puis, sa maison était pleine d'adieux. À la cuisine, Bernadette servait du café. Elle allait de l'un à l'autre. Lucien était attablé avec Marie, qui parlait de n'importe quoi pour étourdir sa tristesse, cette «maudite» faiblesse, qui frappait violemment sur sa carapace de femme forte. Et Rita, leur douce et passive mère, assise à la fenêtre, regardait bouger le soir dans ses grands gestes noirs. Elle allait mieux, maintenant, tellement mieux depuis que Marie avait cessé de la gaver de valium, et ses visites hebdomadaires chez un psychologue la réconciliaient peu à peu avec la vie.

— Encore un peu de café, maman?

Le visage fatigué de Bernadette était penché sur elle et, malgré ses traits tirés, un calme profond en émanait. On eût dit qu'à la tristesse de perdre ce frère qu'elle adorait se mêlait le bonheur tout proche de le savoir serein et délivré de ses souffrances.

— Pourquoi ne t'arrêtes-tu pas un peu? Viens t'asseoir. S'ils veulent du café, ils s'en prendront.

Lucien, malgré le babillage incessant de Marie, n'avait rien perdu des paroles de sa femme et, faisant des signes de la tête, priait Bernadette de s'asseoir. Elle alla poser la cafetière et se laissa tomber lourdement sur la berceuse qui faisait face à sa mère.

La fatigue la tenait sous son étreinte comme un lourd manteau, mais elle portait cette lassitude sans la sentir, comme si elle avait toujours été là pour inhiber ses gestes et assourdir le temps. Oh oui, il pouvait bien traîner un peu, ce corps épuisé par les mauvaises nuits, les veilles et l'impuissance. Elle pouvait l'oublier, le laisser couver dans son parfum de fougère. Quand elle reviendrait à la réalité de la mort satisfaite et redevenue invisible, il serait là où elle l'avait laissé, docile et tout à elle. Tout à elle? C'est bien ce que l'on croit tous...

C'est vrai qu'elle était sereine, sereine malgré tout. Bernadette marchait avec Gabriel vers ce pays qui le réclamait, vers ce pays de délivrance dont elle ne connaissait pas les frontières. Elle s'arrêterait au bord du monde, d'instinct et de destinée. Mais ce bout de chemin dans la lumière ronde de l'essentiel, cet adieu où l'on s'était imprégné de l'autre, où l'on s'était aimé, où l'on avait maudit, ri et pleuré avec une intensité si grande qu'elle aurait pu remplir toute une vie, cette belle lumière avait creusé un puits en elle et s'était épanché sur son visage flétri.

— Je te trouve bien courageuse, Bernadette. Sais-tu à qui tu me fais penser? À ta grand-mère Blanchet. Toujours la première levée et la dernière couchée. Quand il y avait un malheur à l'horizon, elle retroussait ses manches et pouvait passer des jours sans dormir. Je ne sais pas comment elle faisait. J'aurais bien voulu avoir le quart de son énergie.

Avec tendresse, Rita regardait sa fille l'écouter d'une oreille distraite et tirer sur sa cigarette comme si elle eût plongé, les yeux mi-clos, dans un bain chaud au bout d'une rude journée.

— Oui, je te trouve bien courageuse.
— Ceux de nous tous qui ont le plus de courage, maman, ce sont Andrée et Gabriel; il leur en faut beaucoup pour accepter ce qui leur arrive.

Bernadette avait jeté un coup d'œil douloureux sur la porte qui isolait le salon baigné dans une odeur de linceul. Depuis quelque temps, on y avait remplacé le divan par un lit, refuge plus confortable pour un Gabriel enchaîné à l'impuissance, et elle imaginait, de l'autre côté du mur, la silhouette chétive d'Andrée blottie dans le fauteuil de veille.

Andrée était trop forte, trop... soumise. La mort passait, lui arrachait sa raison de vivre sans qu'elle ne laisse échapper un cri ou même un sursaut de révolte, et cela inquiétait beaucoup Bernadette. Elle n'avait pleuré que lorsqu'elle était allée la chercher à la gare. Une seule fois. Et, depuis cette journée, Bernadette la voyait traverser son malheur en s'abrutissant au travail et en se consacrant corps et âme au bien-être de Gabriel.

Cela lui faisait peur. Elle la devinait au bord de la catastrophe et appréhendait le moment où, à bout de forces, Andrée s'effondrerait comme un nid déserté et miné par les tourmentes.

Cette dernière pensée la fit bondir de son siège. Il y avait plus de deux heures maintenant qu'Andrée n'était pas ressortie du salon. En passant près de la chaise de sa mère, Bernadette lui effleura le bras pour la rassurer et s'excuser de l'avoir fait sursauter. Puis, elle pénétra doucement dans la pièce d'à côté, sous le silence inquiet des autres que sa hâte avait surpris.

Gabriel cherchait à définir ce qui reposait sur sa poitrine. Un tout petit poids qui, parfois, s'animait timidement, chatouillait sa peau sensible à l'extrême.

La morphine épuisait ses dernières vagues d'inconscience et la douleur retrouvait ses ports d'attache dans son corps, après quelques heures d'errance dans les eaux troubles de la narcose.

La chose avait encore bougé, mais cette fois, il l'avait sentie plus nettement. Voilà qu'elle quittait sa poitrine et, doucement, bruissait sur son épaule. Il allait ouvrir les yeux. Andrée, reposant à ses côtés, posa une jambe sur les siennes en se pressant tout contre lui.

Le bonheur de la retrouver, de la savoir là, glissa sous ses paupières et il se laissa envahir par la caresse de cet abandon, ne voulant être rien d'autre qu'une ravine où l'amour puisse trouver ses frontières. La main d'Andrée, qu'il avait prise pour un oiseau, reposait sur son épaule, abandonnée au sommeil.

À peine l'avait-il goûté que le bonheur fuyait déjà. Parti du flanc, comme un arbre bien droit que la foudre embrase, le souffle violent de la douleur vint incendier ses poumons. Pendant quelques secondes, Gabriel cessa de respirer, la mort devait être là, tout près, de feu et de rage, abattue sur sa poitrine, prête à le prendre.

La peur lui fit ouvrir les yeux et, complice, ramena l'air à sa bouche. Il respira en gémissant; les grandes goulées d'air qu'il avalait et la présence familière de la poutre du plafond le rassurèrent. Et puis il vit, assise au pied du lit, Bernadette qui cherchait ses yeux pour cueillir sa souffrance.

— Est-ce que je peux faire quelque chose, veux-tu que je t'apporte un peu d'eau?

Il hocha la tête pour lui dire que tout allait bien. André, réveillée en sursaut se dressa vivement sur un coude. Elle avait l'air hagard de quelqu'un qui bondit hors de son sommeil alors qu'il s'était promis de ne pas y succomber.

— Tout va bien, Andrée, j'étais juste venue voir si vous aviez besoin de quelque chose.

La douleur était hargneuse comme un poing enfoncé au milieu de sa poitrine, Gabriel ferma les yeux et parvint à rassembler ses forces pour ramener Andrée à lui.

Bernadette se leva en leur chuchotant qu'elle était de l'autre côté, prête à répondre à leur désirs. Elle pria pour que le sommeil les enveloppe encore dans son étreinte insouciante.

Les voix de la cuisine hantaient les murs de nouveau. Gabriel chercha à les reconnaître, mais cela lui demandait trop d'effort. Il tourna la tête vers Andrée. Elle ne dormait pas, le regardait de ses grands yeux de jade fragile.

— Qui est ici?

Elle les lui nomma, en ajoutant que Léo était venu faire une visite au début de la soirée et s'en était retourné après avoir pris de ses nouvelles.

«Un défilé, ils sont là pour le voir mourir», pensa-t-elle.

En une semaine, il était passé plus de monde dans sa maison que durant toute une année. Andrée laissait à Bernadette le soin de les recevoir. C'était au-dessus de ses forces et il ne lui restait que trop peu de temps avec Gabriel pour le gaspiller avec des gens qui trébuchaient sur chaque mot, incapables d'en supporter le poids.

Elle regretta sur-le-champ cette pensée. Ceux qui venaient rendre visite à Gabriel ne cherchaient pas le spectacle de la mort, ils étaient tout simplement gauches et maladroits devant la fatalité. Leur visage et leur chagrin se mirent à défiler dans sa tête et elle évoqua les paroles et les gestes de tous ceux qui venaient témoigner de leur sympathie.

Avant, la douleur ne faisait que passer; elle fouillait la chair de Gabriel une heure ou deux, puis disparaissait sans crier gare. Mais, depuis quelques jours, elle faisait le guet au pied de ses rêves et, aussitôt qu'il sortait du sommeil, elle l'assaillait. Sur les conseils du docteur Thibeault, on avait augmenté la dose de morphine, mais le soulagement avait été de courte durée. De quatre heures en quatre heures, Gabriel se débattait comme s'il eût été aux enfers au cours de ses périodes d'éveil.

Et puis, il ne mangeait plus. Son organisme rejetait tout aliment solide et il en était réduit à se nourrir à la paille. Une fois par jour, il mettait une éternité à avaler quelques onces de liquide, déjouant l'inappétence en puisant dans ses souvenirs des histoires et des images pour endormir ses nausées.

— Andrée...

Elle fut surprise d'entendre Gabriel prononcer son nom avec autant de force.

— Andrée, j'ai quelque chose à te dire mais, avant, promets-moi que tu n'essaieras pas de me faire changer d'avis.

La voix de Gabriel était toujours aussi assurée et Andrée renversa la tête en arrière pour mieux voir son visage. Déjà remplie d'appréhension, elle promit.

— Je veux aller à l'hôpital... Le plus tôt possible.

C'était donc ça. Ils en avaient tant parlé et reparlé,

Gabriel, Bernadette et elle! Il n'y avait pas si longtemps encore, un soir de sérénité où le feu folâtrait en allumant de petites caresses au bout des doigts, Gabriel avait dit: «Je ne veux pas être un fardeau.» Elles s'étaient empressées de le rassurer. Leurs bras attentionnés pouvaient résister à la fatigue.

— Pourquoi, Gabriel? Tu penses que tu nous en demandes trop, c'est ça?

Avec un grand soupir de lassitude, Gabriel lui rappela sa promesse de ne pas s'opposer à son désir.

— Explique-moi au moins pourquoi, dit-elle en l'enveloppant d'un regard suppliant.

Le désespoir le visita et, dans son sillage, une solitude limpide lui traçait la route de l'abandon. Les paroles du docteur Thibeault revenaient sans relâche: «Tu n'es pas obligé de souffrir, Gabriel, tu as le droit de ne pas souffrir... Le droit de ne pas souffrir...»

— Je ne veux plus me battre avec la douleur, Andrée, essaie de me comprendre. À l'hôpital, ils ont ce qu'il faut pour me soulager.

Dressée sur un coude elle l'avait écouté, prête à lui jurer l'impossible pour qu'il oublie ses yeux cernés, ses pauvres sourires empruntés à un bonheur déjà lointain. La réponse de Gabriel lui fit l'effet d'une gifle. Elle n'avait voulu que le soigner de son mieux; elle avait voulu que dans ses bras il ensorcelle encore un peu le temps, avec des douceurs d'éternité. Elle avait ainsi oublié sa souffrance.

Et elle resta là, immobile, prise dans l'étau des

regrets, submergée par la douleur de cet homme qui, plus que jamais, errait entre ses os et la chaleur de sa bouche.

— Il va falloir que tu appelles le docteur Thibeault.

Sa voix avait fléchi, redevenait un pont fragile entre deux silences douloureux.

— Est-ce que c'est bientôt l'heure du prochain calmant? J'ai tellement mal...

L'église de Saint-Christophe abritait les arcanes de la vie comme le noyau d'un fruit. D'un côté, il y avait la crèche de l'Enfant-Jésus, la vie en graine et, au pied de l'autel, Gabriel couché dans sa coque. Une coquille de bois blond, piquée çà et là de nœuds plus sombres. Un cercueil simple pour un homme simple.

«Faites pas de fla-fla... quelque chose qui me ressemble», avait-il demandé.

Ils s'étaient tous réunis. Puis, chacun à sa mission, on était allé préparer le dernier rendez-vous: Lucien s'occupa des arrangements funéraires; Marie, des fleurs, des téléphones à faire aux amis et à la parenté. Bernadette, aidée de sa mère, prépara le goûter pour la petite réception qui avait lieu après l'enterrement. Andrée s'était gardé les préparatifs du service religieux.

Le curé l'avait reçue chaleureusement, comme on accueille un voisin, sans «cérémonies». De sa grosse voix de prêcheur, il lui avait expliqué le déroulement d'un enterrement et, lui donna toute la latitude voulue là où l'Église le permettait. Andrée était retournée chez elle avec un petit recueil d'épîtres de circonstance et, chemin faisant, une foule de chansons se bousculaient dans sa tête pour envelopper Gabriel de «quelque chose qui lui ressemblât.»

Le guitariste se leva et, d'un geste plein de respect, salua Gabriel avant de commencer à jouer. Les notes de musique traversèrent l'espace comme des feuilles charriées par le vent et se précipitèrent à la rencontre d'Andrée.

Elle avait choisi cet instrument, rien d'autre, un puits de notes fragiles qui puisse nommer ce que les mains cherchent à dessiner dans les ailleurs de l'âme. Gabriel avait toujours aimé la guitare. On entendit les premières mesures, puis la voix du chansonnier chevaucha la musique, et la poésie, au jardin de chacun, se mit à cueillir ce que Gabriel y avait semé.

«Ne l'emmène pas avec toi, aide-la à continuer, Gabriel. Aide-la.»

La prière de Bernadette lui arrachait des tremblements. Assise derrière Andrée, son regard allait du cercueil à la nuque frêle de la petite femme.

— *Mom... are you O.K.?*

La main de Mathiew s'était posée sur celles de sa mère.

D'un léger hochement de tête, elle rassura son fils et lui sourit au moment où il glissa les doigts entre ses paumes jointes.

Presque trois mois! Il avait changé durant son absence. Ses cheveux bouclés, plus foncés que ceux de Gabriel, lui donnaient aussi cet air bohème, à la fois léger et têtu. Aux limites de la maturité, il la regardait avec les yeux d'un enfant au pied d'une mer appelante et secrète. Peut-être qu'il vieillirait comme Gabriel en n'oubliant jamais les fêtes de l'enchantement.

Bernadette ferma les yeux et se laissa bercer par le réconfort de les savoir là, fils et mari. Les derniers jours de Gabriel, accablants comme de longues pluies de novembre, battaient encore sur ses tempes.

Andrée, maintenant, avait le visage enfoui dans les mains. C'est pour cela que Bernadette priait, qu'elle cherchait le chemin d'une ferveur qui conduirait sa prière à l'âme de Gabriel.

L'irrémédiable s'était produit. Bernadette l'avait attendu, prête à recueillir la détresse éclatée d'Andrée et à lui rebâtir, un à un, les murs d'un temps raisonnable. Mais Andrée s'était échappée, elle s'était écroulée au bout du voyage comme une samare aspirée par le vide, sans bruit, sur le corps déserté de Gabriel. Aucune révolte, pas de cri, mais quelque chose qui venait de trop loin pour qu'on l'entende. Un appel à la mort, un désir de la mort aussi impérieux que la poigne du néant.

Il y avait trois jours de cela et, depuis, elle échappait à toute caresse, s'enfermait pour pleurer des heures durant et faisait des naufrages sans fin dans un silence claustré. Elle ne parlait que pour l'essentiel, ne mangeait que par accoutumance et donnait l'impression de ne plus appartenir à ce monde de mouvements à ras de terre.

À l'approche de la mort, Gabriel leur avait demandé beaucoup, et à Andrée plus qu'à tous. Il y avait eu des délires bouleversants, insaisissables, des descentes aux enfers de la raison. Pourquoi mourait-il? Pourquoi le monde entier et cette terre de promesse l'avaient-ils abandonné? Puis, il y avait eu des moments pathétiques de froide lucidité, où il s'accrochait aux siens avec la terreur de l'espoir désarmé.

«Aide-la, Gabriel, donne-lui la force de se battre, je

t'en prie...», priait Bernadette. Le curé s'était approché de l'assistance et, tout en se préparant à prendre la parole, mettait de l'ordre dans les papiers disposés sur le lutrin. Elle baissa la tête de nouveau et retourna méditer avec Gabriel.

La semaine précédant sa mort, Gabriel lui avait confié un secret, quelque chose d'insensé et de merveilleux à la fois, quelque chose qui concernait Andrée et qu'elle ne devait, à aucun prix, lui révéler. Gabriel avait fait, au meilleur de sa conscience, un pacte avec un avenir d'où il était exclu et Bernadette, fidèle à sa promesse, ne dirait rien. Mais ce qu'elle lui demandait aujourd'hui, ce qu'elle suppliait qu'il lui donne en silence, c'était un peu de lumière, un tout petit peu de sa lumière pour apaiser les souffrances d'Andrée.

La guitare s'était tue. Le silence se mit à bruire, tout doucement, à mesure que les gens secouaient leur tristesse.

***

Esther Blanchet ferma les yeux: un souvenir, un très vieux souvenir cherchait un voile pour se poser: il fait froid dans sa chambre et elle se réveille en sursaut. Il y a «quelque chose» de terrifiant dans l'air, quelque chose qu'elle n'arrive pas à définir. Pourtant, autour d'elle, tout semble normal. Elle est dans la maison de son père, l'aube gratte à la cloison de la fenêtre et, au milieu du lit, elle occupe sa place habituelle entre ses deux frères plus jeunes. Puis, tout à coup, la «chose» fond sur elle: le silence, un silence qui la saisit à pleines mains et la ballotte aux quatre coins de la maison. Hier, elle a enterré sa mère et la cuisine, muette, vient d'avaler ses quatorze ans.

La voix traînante et cérémonieuse du prêtre vint cogner à son front obéissant. Esther chassa ce souvenir de son esprit et ouvrit les yeux, cherchant la silhouette du prêcheur à travers les buées de sa peine. L'humilité du cercueil de Gabriel la frappa. Dans un geste lent et plein de fatigue, elle tendit la main vers celui à qui elle voulait donner rendez-vous au pays des enfances rendues.

— Nous sommes aujourd'hui réunis pour rendre un dernier hommage à un homme que l'on quitte à regret. Je me souviens du jour où Lucien, son père, a franchi les portes de cette église avec son enfant, qu'il avait choisi de nommer Gabriel. Et je me souviens aussi d'avoir prié pour que l'ange qui porte son nom l'inspire et le protège tout au long de sa vie. Le Seigneur a rappelé Gabriel à lui, Il est venu le chercher dans la fleur de l'âge et cela, mes amis, peut paraître bien injuste. Mais laissez-moi vous dire une pensée que m'a donnée Gabriel avant de s'en aller. Il y est question d'un papillon. Gabriel m'a dit: «Cette enveloppe qui me quitte, je veux la voir comme un cocon que je laisse derrière moi pour libérer mes ailes. Quand le corps mourra, mon âme s'envolera et en passant de chenille à papillon, une nouvelle vie me sera donnée. Avez-vous déjà remarqué, Monsieur le curé, comme les papillons aiment la lumière? Et comme ils sont beaux quand ils batifolent dans le soleil?»

Léo Dumont eut envie de rire, de rire bien haut pour la leçon que le petit lui donnait, encore une fois. Et cette joie amena un grand vent frais dans le désert de sa colère.

C'était venu tout seul, cette colère, le soir où l'on avait transporté Gabriel à l'hôpital. L'ambulance était sortie de la cour et, sans phares ni sirène, avait pris le rang tout doucement, au pas d'un corbillard. Avant de monter dans son auto garée dans la cour déserte, Léo avait levé le poing vers le ciel, son gros poing velu, si docile d'habitude, et il avait maudit le faiseur de mort. Pourquoi le petit? Il n'avait qu'à le prendre, lui. Lui à qui la terre avait donné plus que son dû, lui qui avait tant d'arbres couchés et de sève cueillie dans la mémoire, pourquoi pas lui? Et puis, il n'avait jamais rien bâti dans sa solitude, pas d'amour, pas de tendresse pour nicher les enfants.

«Libre comme un papillon... Sacré p'tit! Tu m'en auras appris, des choses.»

Le rire qu'il avait senti lui chatouiller la poitrine tourna au chagrin sans crier gare. De la main, il chercha sa casquette pour chasser sa tristesse et, ne la trouvant pas là où il avait l'habitude de bousculer ses émotions, il se frotta le front vigoureusement. Un rendez-vous de plus adoucirait l'attente dans le défilé des saisons. Il se voyait déjà, au cœur d'un été oisif, épier les arabesques des papillons.

— Je voudrais, poursuivit le curé, que vous pensiez à ces paroles de Gabriel lorsque le chagrin vous semblera insupportable. Et je demande au Seigneur de l'accueillir dans son jardin, où il pourra déployer ses ailes et connaître le repos éternel. Amen.

Le son de la guitare fit trembler l'air de nouveau. Le curé présentait les hosties et Andrée, qui avait communié la première, s'agenouilla en abandonnant sa tête lourde sur le prie-Dieu.

Tout cela n'était pas vrai. Il ne ventait plus sur le

temps, on avait effacé la courbe de l'anse; elle s'évanouissait au milieu d'une mer étale. Tout cela n'avait pas de sens, pas de poids ni de figure. Seule sa douleur avait quelque chose de réel.

Pierre ne connaissait rien à la poésie. À la fin de l'office des morts, il y avait eu cette dernière chanson dessinant un éden dans la douleur des adieux. Pierre s'était penché vers sa femme pour savoir de qui venait ce bouquet de paroles exhalant la sérénité. Accroupi sous le pont, le regard perdu sur la rivière figée, il entendait encore ce poème de Vigneault lui fouiller le cœur.

J'ai pour toi un lac quelque part au monde
Un beau lac tout bleu.
Comme un œil ouvert sur la nuit profonde
Un cristal frileux
Qui tremble à ton nom comme tremble feuille
À brise d'automne et chanson d'hiver.
S'y mire le temps, s'y meurent et s'y cueillent
Mes jours à l'endroit, mes nuits à l'envers.

J'ai pour toi très loin, une promenade
Sur un sable doux.
Des milliers de pas sans bruit, sans parade,
Vers on ne sait où.
Et les doigts du vent des saisons entières
Y ont dessiné comme sur nos fronts
Les vagues du jour fendues des croisières
Des beaux naufragés que nous y ferons.

J'ai pour toi défait, mais refait sans cesse
Les mille châteaux
Du nuage aimé qui, pour ma princesse,
Se ferait bateau,

Se ferait pommier, se ferait couronne,
Se ferait panier plein de fruits vermeils.
Et moi, je serai celui qui te donne
La terre et la lune avec le soleil.

J'ai pour toi l'amour quelque part au monde
Ne le laisse pas se perdre à la ronde.

À l'abri entre les piliers du pont, il se sentait comme un enfant qui se cache pour échapper à la punition. Mais il en avait assez, plus qu'assez de tout cela. À la sortie de l'église tout à l'heure, Catherine avait encore dit non. Pourtant, il ne demandait pas grand-chose; reconduire Gabriel à son dernier repos, marcher, une dernière fois avec lui dans la même direction. Elle avait dit: «Non, on ne va pas au cimetière, on rentre.» Ce non-là, Pierre avait été incapable de l'accepter, il avait laissé Catherine sur le perron de l'église et s'était enfui pour rattraper le cortège.

La Macartouche endormie sous la glace ressemblait à un chemin tranquille, oublié des hommes.

«C'est pas comme ça qu'on voyait la vie, hein, Gabriel?»

Il y avait trop de compromis, trop de petites guerres perdues d'avance et Pierre sentait le poids de la lassitude désarmer ses rêves.

Un jour, Gabriel lui avait dit: «C'est pas parce que quelqu'un vous aime que ça lui donne tous les droits.» Mais ce pouvoir, Pierre l'avait lui-même donné à Catherine, consentant, heureux même qu'elle le guide dans le labyrinthe de la vie où les murs ne lui résistaient pas longtemps. Puis, il s'était mis à étouffer; de petites colères indélébiles s'entassaient au fond de sa gorge, des cailloux qu'il ne pouvait même pas jeter à la rivière et qui lui faisaient l'amour dur et le cœur infidèle.

Une auto passa au-dessus de sa tête et il pensa que, telle qu'il la connaissait, Catherine devait être en train de faire le tour du village pour lui mettre la main au collet. Il allait avoir droit à une engueulade magistrale. Elle ne comprendrait pas, il en était certain. Et puis, comment pourrait-il lui expliquer. Comment lui dire qu'il ne pouvait pas rentrer tranquillement chez lui alors que les plus belles années de sa jeunesse prenaient la route du cimetière. Non, Catherine ne comprendrait pas... Elle disait que leur amitié n'était qu'un prétexte pour faire des folies et se soûler.

Si la rivière avait été dans sa robe de juin, il s'y serait jeté en courant, aurait plongé tête première dans cette eau toujours froide. Et peut-être qu'il aurait dérivé, oh juste un peu, le temps de retrouver le goût de son pas sur la terre ferme.

Replié sur lui-même, il se mit à pleurer avec douleur, de grandes chevauchées de désespoir l'entraînaient, ahuri, au fond de la rivière, dans le tumulte effarant de la solitude.

La salle d'attente de Robert Cormier, typique de celles des notaires de campagne, ressemblait plus à un salon qu'à l'antichambre d'une étude. Un divan défraîchi, une grosse chaise capitonnée, un vieux téléviseur, madame Cormier faisant office de secrétaire, offrant du café en se déplaçant sans bruit dans ses pantoufles tricotées brins roses sur brins jaunes.

— Excusez-moi de vous avoir fait attendre; je vérifiais si j'avais bien toutes les pièces du dossier.

Le notaire, un homme sec, tout en longueur, les invita à passer dans son bureau, sa grande main osseuse traçant un chemin entre les deux pièces. Andrée et Bernadette prirent les fauteuils qu'on leur indiquait et le notaire s'empressa de dénicher une autre chaise pour Lucien dans un coin sombre du bureau.

— Bon, si vous voulez bien, nous allons commencer par la lecture du testament.

Andrée eut envie de fermer les yeux. Gabriel allait lui parler à travers cet homme au visage effilé et à la voix légèrement chevrotante.

La lecture fut assez courte. Tout allait à Andrée, sauf une lisière de terrain, près de la rivière, que le défunt désirait léguer à Bernadette. À son insu, ils l'avaient choisie ensemble, lui et Andrée, dans l'éventualité qu'un jour Bernadette s'y construise un petit chalet comme elle en avait rêvé souvent à haute voix.

Sous le coup de la surprise, elle chercha le regard d'Andrée. Elle était là, à sa demande, heureuse de l'accompagner, de lui prêter main-forte une dernière fois avant de prendre l'avion le soir même. Elle n'avait pas songé un seul instant qu'elle pourrait faire partie des dernières volontés de son frère. Andrée souriait d'un air entendu, un sourire fragile mais sincère, comme s'il voulait être la clef d'un refuge que Gabriel laissait pour elle.

Maintenant que le testament avait été lu, Andrée se rendait compte qu'il livrait, sans plus, et en termes légaux, toute la description des biens et des avoirs de Gabriel. Il avait été question de terres, d'immeubles et d'assurance-vie, mais rien, absolument rien, dans ces grandes feuilles de papier que lui tendait le notaire, ne ressemblait au discours de Gabriel. Andrée laissa errer ses yeux sur le document en ravalant ses larmes. Deux jours seulement qu'on avait couché Gabriel dans ce trou au milieu des vies désertées et, déjà, le temps l'enfermait dans sa solitude. C'est en courant qu'elle était venue à ce rendez-vous, emportée par l'espoir d'y trouver un mot, une lettre qui serait l'île de ses réflexions, de ses nuits tourmentées.

— Comme je le disais tout à l'heure, c'est madame Andrée Guilbert qui est nommée, par le présent testament, exécutrice testamentaire. Dans les circonstances, vous devez, madame Guilbert, me dire si vous consentez à assumer ce rôle et, par le fait même, si vous en acceptez les dispositions.

Avec l'aide du père de Gabriel, Andrée s'acquitta des formalités d'usage. Lucien intervenait, posait des questions qu'elle n'aurait pas été en mesure de formuler; tout cela la laissait tellement indifférente.

Quand tout fut à la satisfaction du notaire, celui-ci demanda à Bernadette et à Lucien de sortir. Il devait s'entretenir avec Andrée en privé. La porte se referma sur eux et, au lieu de reprendre sa place derrière le bureau, monsieur Cormier vint s'asseoir près d'Andrée.

— Maintenant que tout cela est réglé, dit-il en posant la main sur le testament qu'Andrée tenait sur ses genoux, il faut que je vous parle d'une requête dont m'a chargé Gabriel à votre sujet. Comme il s'agit d'une disposition inhabituelle et qui ne concerne que vous, j'ai préféré faire sortir les autres pour vous en faire part.

Le cœur d'Andrée s'emballa et elle attendit, fouettée par l'espoir, que le notaire parle.

— J'ai en ma possession une lettre de Gabriel, une lettre que je dois vous remettre dans un an, en main propre, à la date, jour pour jour, du premier anniversaire de sa mort.

— Une lettre...

L'attente était venue, trop intense et à un moment où elle n'espérait plus rien. La tête se mit à lui tourner et elle eut peur du vertige qui éclaboussait les murs de grandes taches blanches.

— Est-ce que ça va, madame Guilbert? Vous êtes pâle sans bon sens!

Le notaire avait posé une main sur son épaule et se tenait sur le bout de sa chaise, prêt à bondir hors du bureau pour demander de l'aide.

— Je vais aller vous chercher un verre d'eau, dit-il d'une voix que la nervosité faisait trembler davantage.

— Non, ça va. J'ai eu un petit étourdissement, c'est tout... Je vous assure, c'est passé.

Pauvre monsieur Cormier! Andrée le voyait la dévorer des yeux et pâlir à son tour. Son malaise se dissipait et elle écoutait, encore un peu étourdie, la rumeur du bonheur se répandre et griser ses membres.

«Une lettre, une lettre de Gabriel. Un an... Pourquoi un an?»

La réalité la rattrapait, l'enchaînait au temps immobile et vain.

— Vous avez dit dans un an? Je dois attendre tout ce temps?

— Ce sont les directives que j'ai eues, madame Guilbert.

— Je ne comprends pas. Est-ce qu'il vous a parlé de quelque chose? Vous a-t-il dit pourquoi il voulait que ce soit comme ça?

Le notaire aurait bien voulu lui en dire plus, mais Gabriel était resté si secret. Et puis, il était de son devoir de respecter les volontés de ses clients, quelles qu'elles soient.

— Je n'en sais pas plus. Ah oui! Je peux vous dire qu'il s'agit probablement d'une lettre que Gabriel a écrite de sa main. J'ai pu l'apercevoir. Il l'a mise dans son enveloppe ici, devant moi.

Andrée resta songeuse. Le bonheur s'était évanoui presque aussi vite qu'il était venu, mais l'attente avait commencé, ainsi que les présomptions et les quêtes. Elle donnait son bras au présent pour qu'il l'amène à ce rendez-vous d'amante et de fantôme.

— Comme nous devons nous rencontrer dans un an, je vous demanderais de bien vouloir me tenir au courant si jamais vous déménagez entre-temps afin d'être en mesure de vous remettre le document en question.

— Je n'ai pas l'intention de partir, monsieur Cormier, mais si je le fais, vous serez le premier avisé, vous pouvez en être assuré.

Il la raccompagna jusqu'à la porte et, lorsque Andrée retrouva Bernadette et son beau-père dans la petite salle d'attente, elle se rendit compte qu'elle avait complètement oublié qu'ils étaient là. Puis une question lui vint tout de suite à l'esprit: «Est-ce que quelqu'un d'autre que le notaire était au courant de cette lettre de Gabriel?»

Elle salua à peine l'homme de loi et sa femme, se précipitant dehors, impatiente d'interroger ceux qui l'accompagnaient.

Le vent du soir s'amenait, se faufilait dans la brunante hâtive de l'hiver. Tranquille comme peut l'être un vieux qui dort sur sa pipe, le village, lumières de Noël et guirlandes aux fenêtres, était plus beau que jamais. Andrée voyait venir la solitude à pas de loup sur la piste blanche du silence. C'était bien sa place, ici, son pays, le seul qui trouvait reflet au miroir de ses appartenances, et pourtant, pourtant, elle avait tant de mal à s'y accrocher. Peut-être qu'elle n'appartenait plus à rien, peut-être que plus rien n'était à elle.

Des pas venaient dans sa direction. Bernadette la rejoignit et glissa son bras sous le sien.

— Ça s'est bien passé, Andrée, pas trop fatiguée?

— J'ai quelque chose à vous demander, dit Andrée. Elle tendit la main vers son beau-père pour qu'il s'approche et dit: «Est-ce que Gabriel vous a déjà parlé d'une lettre qu'il a laissée au notaire?»

Bernadette, qui ne s'attendait pas à ce qu'elle lui pose cette question tout de suite, ne trouva rien d'autre à faire que de fouiller dans son sac à main à la recherche d'une cigarette. Elle espérait que son père prenne la parole afin de gagner un peu de temps pour se forger une réponse. Lucien, lui, ne comprenait pas, mais il voyait bien qu'Andrée attendait anxieusement que l'un d'eux parle.

— Quelle lettre? dit-il. Je ne sais pas de quoi tu parles.

En quelques mots, Andrée leur résuma sa conversation avec le notaire. Puis, elle planta son regard dans celui de Bernadette et la regarda tirer sur sa cigarette, immobile, une parcelle d'espoir mendiant une réponse au fond des yeux.

— Je sais, j'aurais dû t'en parler... Mais ne va pas te faire des idées, je n'en sais pas plus que toi, Andrée.

Oui, c'était ce qu'il y avait de mieux à répondre. Surtout, surtout en dire le moins possible.

Maintenant, Andrée la bombardait de questions: «Pourquoi dans un an?» «Qu'est-ce qu'il dit dans cette lettre?» «Que veut-il que je fasse?» «Pourquoi ne m'en a-t-il pas parlé?»

Tout cela tournait au cauchemar. Gabriel avait eu un secret, un secret qu'elle aurait dû deviner quand il était encore là. Elle avait sûrement perdu pied à un certain moment, négligé un silence qui avait dû hurler. C'était horrible, elle s'était endormie sur un secret qui cherchait ses mots.

Bernadette la prit par les épaules et guida ses pas chancelants vers l'auto.

— Écoute-moi, Andrée, c'est sûrement une lettre d'amour, un poème ou quelque chose qu'il a voulu te laisser en guise d'au revoir. Tu sais ce qu'il s'est dit? Il s'est dit: «Dans un an, elle aura moins de peine et je pourrai peut-être lui apporter encore un peu de bonheur.» Tu te fais du mal pour rien.

Elles montèrent dans la voiture. Lucien déclina l'offre de Bernadette qui voulait le reconduire. Il aurait fait cent fois le trajet à pied plutôt que de les accompagner dans cette voiture où l'émotion brûlait l'air et la couenne du cœur.

Canelle et Muscade sommeillaient, couchés à ses pieds. Elle s'était levée avant l'aube et n'était même pas certaine d'avoir dormi, rôdant entre les souvenirs et l'attente.

Au petit matin, la mort s'était présentée au bras du temps. «Je l'ai pris au gisant de la nuit, que l'on se remémore ce jour de la saison revenue.»

Andrée s'était habillée, avait soigné les animaux encore engourdis à cette heure matinale, puis elle avait attendu que le village s'éveille. À neuf heures moins cinq, elle était à la porte du notaire, des bourrasques de vent plein le dos.

Le retour à la maison fut infernal, pire que l'aller, avec cette lettre tant attendue sur le siège, tout près d'elle. Maintenant, le mystère allait prendre fin, le silence de toute une année tenait dans cette enveloppe qu'elle caressait du bout des doigts.

Du café sur la petite table du salon, un bon feu, ravivé par l'élan d'une nouvelle bûche et, sur le tourne-disque, *Le Rêve d'amour* de Liszt créaient une atmosphère indéfinissable. Andrée ferma les yeux et salua son amant dressé dans le noir.

En tremblant, elle prit le coupe-papier et ouvrit l'enveloppe.

Mon Amour,

Je t'écris cette lettre en espérant, de tout mon être, que tu vas bien. Tu sais, c'est la seule chose qui compte pour moi et je veux croire que le temps a effacé ton chagrin.

Je n'ai pas eu la vie devant moi, on ne m'en a donné qu'un morceau, un petit morceau qui ne t'a peut-être pas laissé l'avenir que tu désirais. C'est ce qui m'a poussé à faire quelque chose qui, je le souhaite, te permettra de faire le choix que je n'ai pu te donner. Tu trouveras, jointes à cette lettre, les coordonnées d'une clinique de Toronto où j'ai déposé un échantillon de mon sperme, il y a quelques mois. Il est à ta disposition. J'ai pris tous les arrangements nécessaires afin que tu en aies l'entière responsabilité.

Comme j'aimerais être à tes côtés pour prendre ton visage entre mes mains et t'expliquer clairement le pourquoi de ce geste. Il faut que tu me comprennes, Andrée. Ce que j'ai à te dire est si important. Nous voulions un enfant, et moi, tout autant que toi, mais la maladie a démoli nos beaux projets. Tu le sais, je te l'ai expliqué cent fois, il m'était impossible d'imaginer que je puisse partir en te laissant toute seule avec un enfant, et puis, j'avais tellement peur que le désespoir seul t'apporte cette consolation. Maintenant que le temps a passé, je veux croire que tu ne me portes plus comme un deuil, mais comme un beau souvenir. C'est pour cette raison que j'ai demandé qu'on te remette cette lettre seulement un an après ma mort. Je voulais que le temps arrange les choses et que tu prennes ta décision dans la paix et la sérénité, que tu fasses ce choix que j'aurais tant aimé te laisser faire. Mais, quelle que soit ta décision, je te demande, au nom de tout l'amour que je te porte, je te demande de ne penser qu'à toi. Si tu veux cet enfant, que ce ne soit que pour toi, pour toi seule. Je voudrais que tu oublies que je l'ai désiré moi aussi: l'idée que le chagrin t'oblige à vouloir me rendre justice me bouleverse. Si tu savais comme j'ai peur d'avoir fait fausse route.

Voilà, je t'ai tout dit. J'aurais voulu t'écrire les plus beaux mots d'amour du monde, mais ils coulent dans mes veines et vont leur chemin en silence. Porte-toi bien et prends soin de toi. Si la vie pouvait t'être douce, comme tout le bonheur que tu m'as apporté, je marcherais vers l'éternité l'âme tranquille.

Je t'aime,

Gabriel

Sans s'en rendre compte, elle avait glissé de son fauteuil et s'était retrouvée assise par terre, les deux chiens endormis à ses côtés. La tête un peu penchée, elle dévisageait le feu comme s'il allait se mettre à parler. Jamais une telle idée n'avait effleuré son esprit lorsqu'elle avait pensé au contenu de cette lettre! Elle était à la fois émerveillée et stupéfaite. Les flammes ne dansaient que pour elle, mais elle était au bout du monde, plongée dans une lumière à la fois luxuriante et grave, éblouie par ce vieux rêve qui lui avait si bien brûlé la peau autrefois.

C'était trop fou; peut-être qu'elle avait mal lu, que son imagination la faisait divaguer.

Fébrilement, elle déplia la lettre et la relut avec avidité. Puis elle tomba sur la dernière feuille, que son regard n'avait qu'effleurée.

Elianne Wood Clinic's
Dr. Carol Hecket
863, Ball Street
TORONTO (Ontario)
M4C 1T4
Téléphone: (613) 763-1792

Avec mille précautions, Andrée prit les feuilles, mit ses mains sur sa poitrine et, tout doucement, se mit à les bercer. Comme un enfant.

Un peu plus tard, elle téléphona à Bernadette. En l'espace de quelques heures, sa vie lui était rendue, presque intacte.

Bernadette lui écrivait souvent, téléphonait aussi, elle était la première personne avec qui Andrée voulait partager sa renaissance. Elle ne la reconnaîtrait pas, le bonheur frayait de partout à la fois, lui tremblait dans les mains.

— Je suis allée chercher la lettre de Gabriel ce matin, ça fait un an aujourd'hui...

Bernadette disait: «je sais» et attendait. La voix d'Andrée vacillait sous l'émotion.

— Il écrit qu'il est allé dans une clinique de Toronto pour y laisser son sperme! Tu m'entends, Bernadette? Il s'est arrangé pour que je puisse avoir un enfant de lui si je le désire. J'ai encore du mal à y croire.

Depuis des semaines, Bernadette attendait cet appel et la joie d'Andrée amenait un peu de soulagement quant à l'aveu qu'elle se devait de lui faire.

— Je suis contente que ce jour-là soit enfin arrivé. Écoute, Andrée, je sais que ça va te paraître cruel... J'étais au courant des intentions de Gabriel. Non, laisse-moi continuer, je t'en prie... Il m'a fait promettre de ne rien te dire, c'était son désir et je l'ai respecté. Tu comprends?

Andrée essayait bien de comprendre, mais les mots lui manquaient et elle voyait défiler cette année d'attente, comme autant de jours perdus.

— Te rappelles-tu que je t'ai fait une promesse à toi aussi, Andrée? À propos de cette grossesse que tu voulais tant? À ce moment-là, j'ai failli vous parler de tout cela autant à toi qu'à Gabriel. Parce que tu sais, au fond, vous désiriez la même chose.

— C'est vrai, tu as raison.

— Le temps arrange bien les choses, et je pense que c'est ce que Gabriel voulait. Quand il m'a parlé de cette lettre, il m'a dit: «Le temps aura passé. Je crois que le désespoir n'influencera pas sa décision. Et qui sait, peut-être qu'elle aura refait sa vie.»

Refait sa vie... Est-ce qu'on peut encore aimer quand on n'a plus soif d'achèvement, quand le désert, de jour en jour, avance sur la route de la source. Est-ce qu'on peut encore toucher le ciel quand on est enchaîné aux racines d'une pierre tombale. Jamais il ne viendrait un autre homme comme Gabriel, même si elle le cherchait jusqu'aux frontières du monde, personne ne saurait, comme lui, faire danser l'univers dans le creux de ses mains.

— Un grand amour dans une vie, c'est déjà beaucoup, et puis, je ne pourrais plus jamais aimer comme je l'ai fait, lui répondit Andrée, la mort dans l'âme.
— Donne-toi du temps encore. Tu ne sais pas ce que l'avenir te réserve. Tiens, cette lettre de Gabriel, ce n'est pas une belle surprise de la vie, ça?

Oui, ce que Gabriel lui laissait n'avait pas de prix... Un cadeau comme lui seul pouvait en faire. Mais pour l'amour, la passion qui dévore le temps, le monde pouvait aller se rhabiller, elle n'avait pas un grain de peau à lui donner.

— Je suppose que tu as l'intention de réfléchir avant de prendre une décision... Pour l'enfant je veux dire.
— Et si je te disais que c'est déjà tout réfléchi. Écoute, Bernadette, je sais d'avance tout ce que tu vas me dire: prends le temps d'y penser, essaie de voir plus loin qu'aujourd'hui, et ainsi de suite. C'est vraiment ce que tu penses n'est-ce pas?

— Si je comprends bien, ta décision est déjà prise, répondit Bernadette à voix basse, regrettant de ne pas être à ses côtés pour voir éclore l'avenir dans la maison de Gabriel.

Andrée avait accueilli l'enfant sans contenir son élan, au fil des mots qui lui ramenaient les images mille fois caressées d'un petit être blotti dans le nid de son ventre. Il lui était revenu, inchangé, pressé de se pendre à son cou pour lui murmurer sa fureur de vivre.

— Tu viendras si j'ai besoin de toi le moment venu? J'ai souvent entendu dire qu'on n'enfante pas sans douleurs...

Bernadette renonça définitivement à tous les conseils qu'elle s'était promis de lui donner, les appels à la réflexion, les mises en garde contre une décision précipitée et émotive. Ce qu'elle ne voyait pas, elle pouvait très bien l'imaginer: une petite femme déterminée, dessinant farouchement son rêve, la tête haute et une main sur le mur blanc de son sein.

— Tu sais bien que tu peux toujours compter sur moi, Andrée... Toujours.

***

Dans la porcherie, les truies attendaient, aux aguets, les oreilles dressées. Quelqu'un venait dans leur direction en chantant. Le bruit des chevaux s'agitant sur son passage leur parvenait également. C'était l'heure de la ronde du soir, elles le savaient, la lumière le leur avait dit. La voix se tut au moment où la porte grinça sur ses gonds. La femme avança vers une cage, s'accouda à l'un des barreaux et se mit à parler à la vieille truie qui attendait sa onzième portée. L'animal se dressa sur ses pattes de devant et posa sa bonne grosse tête sur la mangeoire, écoutant les sons apaiser son souffle bridé.

— Le travail n'est pas encore commencé, mais ce ne sera plus tellement long; dans un jour ou deux, tu verras, tes petits vont venir te mordre les oreilles. Tu sais quoi? Il y a longtemps que je ne me suis pas sentie aussi bien. On dirait qu'on m'a redonné mon corps, à moins que ce ne soit mon âme... Oui, ça doit être mon âme, puisque, sans elle, on n'est rien. Je pars pour Toronto demain matin, mais ne t'inquiète pas, madame Doyon va venir faire le train et je lui ai dit que tu te préparais à avoir encore une grosse portée. Elle va prendre soin de toi, avec précaution j'en suis certaine... Toronto... Tu t'imagines? L'enfant que j'ai tant voulu, tout ça est possible! J'ai encore du mal à y croire.

Andrée se redressa et, des yeux, fit le tour de ses truies. Les gestes qu'il faut rendre au quotidien, les pas que l'on amène au pied des jours: tout cela avait un sens, courait, insouciant et léger, dans ses bras. Une envie folle d'ameuter le monde entier, de lui crier son bonheur trépignait en elle. En quelques enjambées souples et vives, elle se retrouva au centre de l'allée et, dans un geste théâtral, retira son chapeau en saluant ses truies d'une révérence.

— Je salue ces dames et les prie de bien vouloir entendre mon message: je m'en vais dans la grande ville de Toronto. Que l'on espère mon retour et celui de l'enfant à naître!

Son rire résonna dans la pièce et elle en écouta l'écho en s'étonnant. C'était bien elle, la petite veuve de

Gabriel, comme on l'appelait maintenant à Saint-Christophe, celle que les gens saluaient en baissant les yeux parce que l'insolence de sa tristesse les tenait respectueusement à distance. Elle eut envie de rire encore. S'ils la voyaient, en train de discourir d'avenir sous le regard tranquille de ses truies, ils trembleraient, pensant qu'elle était au bord de la folie. Oh oui c'était bien elle! Et le bonheur, celui qui déposait sa grâce dans le frémissement de la nuit nouvelle, ce bonheur-là lui rendait la sagesse d'être folle de nouveau, au nom de l'amour.

Elle était à la porte, s'en allant déployer la voile qui les conduirait, maison et solitude, à l'île où l'enfant égraine l'attente en parlant au vent de la douceur des pierres, du soleil qu'il touchera peut-être demain, à l'heure où les poissons viennent boire un peu d'air, s'il court jusqu'au bout de l'île sans tomber.

Elle allait partir. Dans son dos, elle sentait l'agitation des truies qui se recouchaient en grognant des appels de flancs lourds. Puis un mot, ou plutôt un nom, celui qu'elle avait cherché tant de fois, penchée sur un enfant sans visage, vint sur ses lèvres comme un désir, le désir fou de mordre le vent. Elle attendit que son front prenne appui sur la porte, puis ouvrit les mains lentement pour les porter à sa poitrine. C'est à peine si les animaux entendirent l'enchantement lorsque, dans un murmure, elle nomma l'enfant:

«Gabriel, Gabrielle. Ce sera son nom. Et je lui dirai, tous les jours, que l'amour est plus fort que tout. Je lui dirai que l'amour m'a vue vivre, mourir, et renaître.»

FIN

Daveluyville, 1994